Jonathan Roller

(Steuer-)Rechtliche Betrachtung Blockchain-basierter Kryptowährungen und
Initial Coin Offerings

I0635226

Bibliografische Information der Deutschen Nationalbibliothek:

Bibliografische Information der Deutschen Nationalbibliothek: Die Deutsche Bibliothek verzeichnet diese Publikation in der Deutschen Nationalbibliografie; detaillierte bibliografische Daten sind im Internet über http://dnb.d-nb.de/ abrufbar.

Copyright © 2018 Diplom.de
Druck und Bindung: Books on Demand GmbH, Norderstedt Germany
ISBN: 9783961168491

https://www.diplom.de/document/514336

Jonathan Roller

(Steuer-)Rechtliche Betrachtung Blockchain-basierter Kryptowährungen und Initial Coin Offerings

Diplom.de

Inhaltsverzeichnis

Abkürzungsverzeichnis

Schaubildverzeichnis

1 Einleitung...1

1.1 Motivation...1

1.2 Vorgehensweise..2

2 Terminologische Abgrenzung von Kryptowährungen und Token.........3

2.1 Definition von Kryptowährungen.......................................3

2.2 Definition von Token..4

2.2.1 Utility Token..4

2.2.2 Security Token...4

2.3 Zwischenergebnis zur terminologischen Abgrenzung von
     Kryptowährungen und Token...5

3 Funktionsweise Blockchain-basierter Kryptowährungssysteme.........5

3.1 Funktionsweise der Blockchain..6

3.2 Funktionsweise Blockchain-basierter Währungssysteme
     am Beispiel Bitcoin...6

3.3 Entstehung neuer Kryptowährungseinheiten durch Mining.........8

4 Zivilrechtliche Einordnung von Kryptowährungen....................9

4.1 Rechtsnatur von Kryptowährungen....................................9

4.2 Kollision von Blockchain und Zivilrecht...........................10

5 Aufsichtsrechtliche Einordnung von Kryptowährungen..........12

5.1 Kryptowährungen als Bar- und Buchgeld..........................12

5.2 Kryptowährungen als E-Geld..13

5.3 Kryptowährungen als Finanzinstrumente..........................14

5.4 Fazit zur aufsichtsrechtlichen Einordnung von Kryptowährungen.......15

6 Umsatzsteuerliche Behandlung von Kryptowährungsgeschäften.........15

6.1 Rechtsgrundsätze des Europäischen Gerichtshof zur
     umsatzsteuerlichen Behandlung von Kryptowährungen.........15

6.2 Stellungnahme des Bundesfinanzministeriums.................18

6.3 Umsatzsteuerliche Behandlung einzelner Sonderfälle.........19

6.4 Fazit zur umsatzsteuerlichen Behandlung von Kryptowährungen.......19

7 Ertragsteuerrechtliche Behandlung von Kryptowährungen 20

7.1   Direktinvestitionen 21

    7.1.1   Abgrenzung privater Vermögensverwaltung von Gewerblichkeit im Umfeld der Kryptowährungen 21

        7.1.1.1   Handel mit Kryptowährungen 21

        7.1.1.2   Mining 23

        7.1.1.3   Zwischenergebnis 24

    7.1.2   Direktinvestitionen im Privatbereich 24

        7.1.2.1   Besteuerung nach § 20 EStG 25

        7.1.2.2   Besteuerung nach § 23 EStG 26

        7.1.2.3   Behandlung von Realisationsvorgängen 27

        7.1.2.4   Steuerpflicht 27

        7.1.2.5   Anschaffungsvorgänge 27

        7.1.2.6   Haltefristen 30

        7.1.2.7   Gewinnrealisierung 31

        7.1.2.8   Berücksichtigung von Veräußerungsverlusten auf privater Ebene 33

    7.1.3   Zwischenergebnis zu Direktinvestitionen im Privatbereich 33

    7.1.4   Direktinvestitionen im unternehmerischen Bereich 34

        7.1.4.1   Gewerblichkeit im Bereich von Mining und Handel 34

        7.1.4.2   Grundzüge der steuerlichen Behandlung von Kryptowährungsgeschäften im Betriebsvermögen 34

        7.1.4.3   Besteuerung und Bilanzierung von Kryptowährungen im Betriebsvermögen 34

    7.1.5   Aspekte des internationalen Steuerrechts 36

    7.1.6   Fazit zur ertragssteuerrechtlichen Behandlung von Kryptowährungen im unternehmerischen Bereich 37

7.2   Ertragssteuerliche Behandlung indirekter Anlageformen 38

    7.2.1   Derivative Finanzinstrumente 38

    7.2.2   Zertifikate 40

7.3   Gegenüberstellung von direkten und indirekten Investitionen in Kryptowährungen 41

7.4   Fazit und Ausblick bzgl. der Ertragsbesteuerung von Investitionen in Kryptowährungen 42

8   Erbschaftsteuerliche Überlegungen **44**

9   Besteuerung von Initial Coin Offerings **45**

  9.1   Umsatzsteuerrechtliche Behandlung von Initial Coin Offerings 45

    9.1.1   Umsatzsteuerliche Vorgänge innerhalb eines Token Sale 46

    9.1.2   Umsatzsteuerbarkeit von Utility Token 47

      9.1.2.1   Gutschein nach Art. 30a Nr. 1 MwStSystRL............................47

      9.1.2.2   Mehrzweckgutschein nach Art. 30b Abs. 2 MwStSystRL........48

      9.1.2.3   Zwischenergebnis..49

    9.1.3   Umsatzsteuerbarkeit von Equity Token 50

      9.1.3.1   Steuerfreie Umsätze gemäß
Art. 135 Abs. 1 Buchst. f MwStSystRL 50

      9.1.3.2   Keine Steuerbarkeit von Emission und Halten
eines Equity Token...51

    9.1.4   Debt Token 51

    9.1.5   Zwischenergebnis zur umsatzsteuerrechtlichen
Behandlung des ICOs...52

  9.2   Ertragsteuerrechtliche Behandlung von ICOs 52

    9.2.1   ICO-Token als selbstgeschaffene immaterielle Wirtschaftsgüter 52

    9.2.2   Passivposten des Emittenten..54

    9.2.3   Fazit zur ertragssteuerrechtlichen Behandlung des ICO 55

10   Fazit und Ausblick..**55**

Anhangsverzeichnis..**59**

Literaturverzeichnis...**65**

Rechtsprechungsverzeichnis...**75**

Verzeichnis amtlicher Schriften..**77**

Abkürzungsverzeichnis

Abs.	Absatz
AO	Abgabenordnung
BaFin	Bundesanstalt für Finanzdienstleistungsaufsicht
BBankG	Gesetz über die Deutsche Bundesbank
BC	Zeitschrift für Bilanzierung und Controlling
BeckVerw	Verwaltungsanweisungen-Datenbank beck online
BGB	Bürgerliches Gesetzbuch
BKR	Zeitschrift für Bank und Kapitalmarktrecht
BMF	Bundesministerium für Finanzen
Bsp.	Beispiel
bspw.	beispielsweise
BT-Drucks.	Bundestagsdrucksache
Buchst.	Buchstabe
bzgl.	bezüglich
bzw.	beziehungsweise
ca.	circa
CCZ	Corporate Compliance Zeitschrift
CDU	Christlich Demokratische Union
CFD	Contracts for Difference
CSU	Christlich Soziale Union
DuD	Zeitschrift für Datenschutz und Datensicherung
DStR	Zeitschrift für Deutsches Steuerrecht
DStRE	Deutsches Steuerrecht Entscheidungsdienst
E-Geld	Elektronisches Geld
ErbStG	Erbschaftssteuergesetz
etc.	et cetera perge perge
ETF	Exchange Traded Fund
EUR	Euro
Evtl.	eventuell
FBeh.	Finanzbehörde
FinMin	Finanzministerium
FR	Finanz Rundschau

ggf.	gegebenenfalls
IAS	International Accounting Standards
IFRS	International Financial Reporting Standards
i. d. R.	in der Regel
i. H. v.	in Höhe von
IRS	Internal Revenue Service
i. S. d.	im Sinne des
IStR	Internationales Steuerrecht
LfSt	Landesamt für Steuern
Mio.	Millionen
MMR	Multimedia und Recht
MwStR	Mehrwertsteuerrecht
MwStSystRL	RL 2006/112/EG
NJW	Neue Juristische Wochenschrift
Nr.	Nummer
NvWZ	Neue Zeitschrift für Verwaltungsrecht
Nwb	Neue Wirtschafts-Briefe
öBFM	Bundesministerium der Finanzen Österreich
sog.	Sogenannte(-r,-s)
SolZ	Solidaritätszuschlag
SPD	Sozialdemokratische Partei Deutschlands
USD	United States Dollar
VermAnlG	Gesetz über Vermögensanlagen
v.	vom
v. a.	vor allem
WpHG	Wertpapierhandelsgesetz
WpPG	Wertpapierprospektgesetz
ZAG	Gesetz über die Beaufsichtigung von Zahlungsdiensten
z. B.	zum Beispiel
ZBB	Zeitschrift für Bankrecht und Bankwirtschaft
ZRP	Zeitschrift für Rechtspolitik
zzgl.	zuzüglich

Abbildungsverzeichnis

Abb. 1: Chart Bitcoin/USD...1

Abb. 2: Transaktion in einem Blockchain-basierten Währungssystem...................8

1 Einleitung

1.1 Motivation

Zum Jahreswechsel 2017/2018 gelangten Kryptowährung mit rasanten Kursanstiegen, dargestellt in Abbildung 1, in die Aufmerksamkeit der breiten Öffentlichkeit. Am 17.12.2017 erreichte der Kurs, der nach Marktkapitalisierung größten Kryptowährung der Welt, dem Bitcoin, sein bisheriges Allzeithoch von 19.123 United States Dollar (USD) pro Bitcoin.[1] Dies weckte bei vielen Anlegern die Hoffnung auf schnelle Gewinne. Doch 2018 sieht die Situation anders aus. Der Bitcoin verlor zum Jahresanfang hin innerhalb eines Monats mehr als die Hälfte seines Wertes.[2] Angesichts des Kurssturzes im Frühjahr 2018 darf jedoch nicht außer Acht gelassen werden, dass die 5-Jahres-Performance[3] des BTC/USD Kurses bei über 5.827,80 % liegt.[4] Bei Betrachtung der letzten 12 Monate, weist der BTC/USD Kurs eine Performance von über 53,52 % auf. Die Performance des Deutschen Aktienindex lag in den vergangenen 12 Monaten bei -1,10 %.[5]

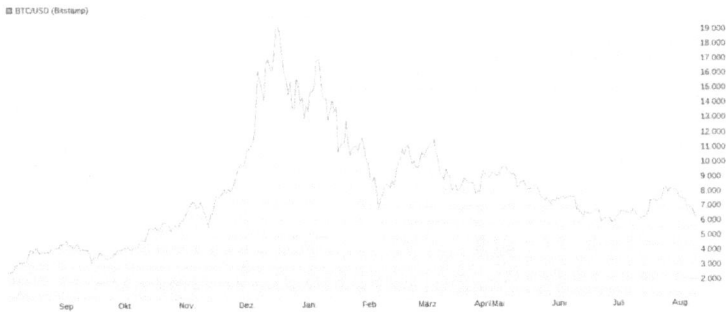

Abbildung 1:   Chart BTC/USD

Quelle: *Avira* (URL1), zuletzt abgerufen am 25.08.2018.

Betrachtet man die Kursentwicklungen diverser Kryptowährungen der vergangenen zwei Jahre, wird klar, dass es momentan wohl wenige lukrativere Kapitalanlagemöglichkeiten gibt.

---

[1] Datenherkunft *Ariva* (URL1), zuletzt abgerufen am 25.08.2018; so auch *Omlor*, ZRP 2018, 85.
[2] Vgl. *Omlor*, ZRP 2018, 85.
[3] Die Performance misst die Wertentwicklung einer Investition oder eines Portfolios. Meist wird zum Vergleich eine sog. Benchmark als Referenz genommen, um die Performance im Vergleich zum Gesamtmarkt oder einzelnen Branchen darzustellen.
[4] Ähnliche Kursentwicklungen konnten bei diversen anderen Kryptowährungen beobachtet werden; Datenherkunft *Ariva* (URL1), zuletzt abgerufen am 25.08.2018.
[5] Datenherkunft *Ariva* (URL2), zuletzt abgerufen am 25.08.2018.

Abgesehen von der Partizipation der Anleger an den steigenden Kursen der Kryptowährungen, spielen die Kryptowährungen in der Praxis auch als Zahlungsmittel eine immer größere Rolle.[6] Vor allem im unternehmerischen Umfeld rückten die Kryptowährungen im Zusammenhang mit dem Begriff Initial Coin Offering (ICO) in das Blickfeld IT-affiner Unternehmer und Anleger. Bei einem ICO handelt es sich um eine neue Form des Crowdfundings und demnach gegenwärtig um eine populäre Form der Kapitalbeschaffung.[7] Ein ICO ermöglicht einem Unternehmen vergleichsweise einfach an Anlegergeld zu kommen.[8] Im Jahr 2017 wurden dabei durch ICOs mehr als 3,7 Milliarden USD eingesammelt.[9] Der Begriff Initial Coin Offering ähnelt daher nicht zufällig dem des Initial Public Offerings[10]. Allerdings vermeiden die Unternehmen den streng regulierten Prozess der Kapitalaufnahme über einen Börsengang indem sie auf einer Blockchain basierende digitale Einheiten, sog. Token, emittieren.[11] Die Token können gegen herkömmliche Währungen oder noch häufiger gegen Kryptowährungen erworben werden.[12] Nach erfolgreicher Kapitalbeschaffung kann das Unternehmen dann bspw. mit der Entwicklung der Waren oder Dienstleistungen mithilfe des eingeworbenen Kapitals beginnen.[13] Die rechtliche Einordnung der Kryptowährungen und des ICOs wirft viele Fragestellungen auf, die im Folgenden erläutert werden sollen.

1.2 Vorgehensweise

Es muss jedoch vorerst eine Definition der Kryptowährungen erfolgen und eine Abgrenzung von Token zu Kryptowährungen vorgenommen werden. Ebenso bedarf es um die aktuelle rechtliche Beurteilung der Kryptowährungsgeschäfte und des ICOs nachvollziehen zu können, einem Grundverständnis der Funktionsweise von Kryptowährungssystemen. Dies soll mithilfe einer vereinfachten Erläuterung derer Funktionsweise am Beispiel des Bitcoin-Systems und der zugrundeliegenden Blockchain-Technologie erreicht werden.[14]

---

[6] Vgl. *Boehm/Pesch*, MMR 2014, 75.
[7] So *Weitnauer*, BKR 2018, 231.
[8] Vgl. *Burton* (URL), zuletzt abgerufen am 25.08.2018.
[9] BT-Drucks., 19/851, S. 1.
[10] Werden bei einem Börsengang Aktien aus dem Bestand der Altaktionäre oder aus einer Kapitalerhöhung angeboten, spricht man von einem initial public offering (IPO).
[11] Vgl. *Dietsch*, MwStR 2018, 546.
[12] *BaFin* (URL1), S. 1, zuletzt abgerufen am 25.08.2018.
[13] So *Weitnauer*, BKR 2018, 231.
[14] Vgl. *Boehm/Pesch*, MMR 2014, 75.

Anschließend soll ein Überblick über die zivil- und aufsichtsrechtlichen Aspekte von Kryptowährungen und die aktuelle Rechtslage zur ertrag- und umsatzsteuerlichen Behandlung von ausgewählten Tatbeständen im Kryptowährungsumfeld gegeben werden. Abschließend soll mithilfe der zuvor beschriebenen Grundsätze zur Besteuerung von Kryptowährungen der Spezialfall des ICOs steuerrechtlich eingeordnet werden. Es soll weiterhin die Frage geklärt werden, ob eine gesetzliche Regulierung in den ausgewählten Rechtsgebieten notwendig ist oder ob sich die Kryptowährungsgeschäfte und der Vorgang eines ICOs in das bestehende Rechtssystem einordnen lassen.

2 Terminologische Abgrenzung von Kryptowährungen und Token

Mit dem Begriff Kryptowährung verbindet man insbesondere die „virtuelle Währung" Bitcoin. Da der Bitcoin auf der Blockchaintechnologie basiert, werden oftmals auch andere digitale Einheiten, die ebenfalls auf dieser Technologie beruhen, fälschlicherweise als Kryptowährung bezeichnet. Kryptowährungen sind vertragliche Zahlungsmittel, während andere auf der Blockchain basierende digitale Einheiten auch einen unterschiedlichen Verwendungszweck haben können.[15] Die Abgrenzung von Kryptowährungen zu Token spielt bei der Besteuerung von ICOs eine wichtige Rolle und deshalb muss eine terminologische Abgrenzung von Kryptowährungen zu Token vorgenommen werden.

2.1 Definition von Kryptowährungen

Schon bzgl. der Begriffsbestimmung herrscht zwischen den zuständigen Institutionen Uneinigkeit. Während der Europäische Gerichtshof (EuGH) und das Bundesfinanzministerium (BMF) einheitlich den Begriff „virtuelle Währung"[16] nutzen, verwendet die Bundesanstalt für Finanzdienstleistungsaufsicht (BaFin) vornehmlich die Bezeichnung „Kryptowährung".[17] Gemeint ist allerdings dasselbe. Zutreffender erscheint jedoch die Bezeichnung Kryptowährung, da dieser gleichzeitig die wesentliche Eigenschaft der Kryptografie beinhaltet, während der Zusatz „virtuell" vergleichsweise nichtssagend ist.[18] Eine Kryptowährung könnte im Einklang mit

---

[15] Vgl. *Dietsch*, MwStR 2018, 546, 547.
[16] EuGH, BStBl. II 2018, 211.
[17] *BaFin* (URL1), S. 1, zuletzt abgerufen am 25.08.2018; hierzu ausführlicher *Dietsch*, MwStR 2018, 546, 547.
[18] Vgl. *Dietsch*, MwStR 546, 547.

der bestehenden Rechtslage wie folgt definiert werden: Kryptowährungen sind digitale Einheiten, die über kryptografisch abgesicherte Protokolle und bspw. durch die dezentrale Datenhaltung mithilfe der Blockchaintechnologie[19] einen digitalen Zahlungsverkehr ohne zentrale Kontrollinstanzen wie bspw. Banken ermöglichen. Zahlender und Zahlungsempfänger verwenden einen digitalen Geldbeutel, der Transaktionen mit Kryptowährungen ermöglicht und das kryptologisch signierte Guthaben in einer gemeinschaftlichen Blockchain darstellt.[20]

2.2 Definition von Token

Wie eingangs beschrieben, können Kryptowährungen und Token unterschiedliche Verwendungszwecke haben. Bei einem Token handelt es sich um einen kryptografisch geschaffenen digitalen Vermögensgegenstand, der i. d. R. in einer Blockchain erfasst und gespeichert wird.[21] Token, die bspw. im Rahmen eines ICO emittiert werden, lassen sich in zwei Unterkategorien einteilen, in Utility Token und Security Token.[22]

2.2.1 Utility Token

Ein Utility Token ähnelt im Wesentlichen einem Gutschein.[23] Mit diesem Gutschein kann der Erwerber Waren oder Dienstleistungen eintauschen, allerdings erst dann, wenn das emittierende Unternehmen den Geschäftsbetrieb aufnimmt und damit in der Lage ist, diese zu produzieren bzw. bereitzustellen.[24] Der Erwerber eines Utility Token tritt in Vorleistung mit der Erwartung, dass das emittierende Unternehmen erfolgreich Kapital einnimmt und den Geschäftsbetrieb aufnimmt.[25]

2.2.2 Security Token

Security Token können in Equity Token und Debt Token unterteilt werden.[26] Equity Token ähneln dabei einem Geschäftsanteil, da mit diesen Stimmrechte oder Anteile

---

[19] Es muss jedoch beachtet werden, dass auch zentrale Kryptowährungen wie bspw. IOTA existieren; vgl. *iotasupport* (URL), zuletzt abgerufen am 25.08.2018.
[20] Vgl. *Dietsch*, MwStR 2018, 250.
[21] So *Dietsch*, MwStR 2018, 546, 547; so auch *Novak* (URL), zuletzt abgerufen am 25.08.2018.
[22] Vgl. *Dietsch*, MwStR 2018, 546, 547.
[23] So *Dietsch*, MwStR 2018, 546, 548.
[24] Vgl. *Krüger/Lampert*, BB 2018, 1154, 1156.
[25] So *Dietsch*, MwStR 2018, 546, 548.
[26] Vgl. *Krüger/Lampert*, BB 2018, 1154, 1155.

an künftigen Einnahmen des Emittenten erworben werden.[27] Die Anteile und Stimmrechte werden dabei über eine Blockchain gehalten.[28] Im Gegensatz dazu ähnelt ein Debt Token einer Anleihe.[29] Das Unternehmen kreiert Token, die einer Kreditforderung zugunsten des späteren Erwerbers gleichen und welche ebenfalls in einer Blockchain gespeichert und verwaltet werden.[30] Der Erwerb eines Debt Token gleicht einem kurzfristigen Kredit zugunsten des Emittenten, wobei der Erwerber einen Anspruch auf einen festen oder variablen Zins für eine bestimmte Zeit erhält.[31] Security Token repräsentieren eine ähnliche Funktion, wie sie bei Wertpapieren oder Finanzinstrumenten vorliegen.[32] Die BaFin muss im Einzelfall prüfen, ob die Voraussetzungen eines Finanzinstrumentes i. S. d. Wertpapierhandelsgesetzes (WpHG) bzw. der Richtlinie über Märkte für Finanzinstrumente, eines Wertpapieres i. S. d. Wertpapierprospektgesetzes (WpPG) oder einer Vermögensanlage nach dem Vermögensanlagengesetz (VermAnlG) vorliegen.[33]

2.3 Zwischenergebnis zur terminologischen Abgrenzung von Kryptowährungen und Token

Zusammengefasst bedeutet dies, dass Kryptowährungen Token sind, die als Zahlungsmittel konzipiert und verwendet werden, d. h. der Begriff Token ist als Oberbegriff zu verstehen, während eine Kryptowährung bereits eine Unterkategorie hiervon ist.[34] Kryptowährungen können somit auch als „Currency Token" klassifiziert werden.[35]

3 Funktionsweise Blockchain-basierter Kryptowährungssysteme

Als dezentrales Transaktionsnetzwerk liegt die Blockchain mehr als 1.000 Kryptowährungen technisch zugrunde.[36] Unter anderem dem Bitcoin.[37] Zunächst soll die Funktionsweise der den Blockchain-basierten Währungen zugrundeliegenden Blockchaintechnologie erklärt werden.

---

[27] *BaFin* (URL1), S. 1, zuletzt abgerufen am 25.08.2018.
[28] Vgl. *Dietsch*, MwStR 2018, 546, 547.
[29] So *Dietsch*, MwStR 2018, 546, 548.
[30] Vgl. *Benoliel* (URL), zuletzt abgerufen am 25.08.2018.
[31] So *Grlica* (URL), zuletzt abgerufen am 25.08.2018.
[32] Vgl. *Dietsch*, MwStR 2018, 546, 548.
[33] *BaFin* (URL1), S. 1, zuletzt abgerufen am 25.08.2018.
[34] So *Dietsch*, MwStR 2018, 546, 548.
[35] Vgl. *Weitnauer*, BKR 2018, 231, 232.
[36] So *Omlor*, ZRP 2018, 85.
[37] Vgl. *Wirth*, CCZ 2018, 139.

3.1 Funktionsweise der Blockchain

Bei der Blockchain handelt es sich um eine dezentrale Datenbank, welche ihre inhaltliche Integrität dadurch zu sichern versucht, dass eine Verkettung einzelner Datenblöcke miteinander erfolgt.[38] Wichtig für die Einsetzbarkeit der Blockchain ist die Gewährleistung der Authentizität der in der Blockchain gespeicherten Daten.[39] Die Rechner im Netzwerk gleichen ab, ob die einzutragenden Daten im Widerspruch mit der bisherigen Datenhistorie der Blockchain stehen.[40] Finden sich genügend Rechner, welche der Transaktion vertrauen, wird sie bestätigt.[41] Auf diese Weise bestätigte Daten werden chronologisch und unveränderbar in einen „Block" geschrieben und sobald dessen Fassungsvermögen erreicht ist in den nächsten Block. Die Blocks enthalten kryptografische Verbindungselemente, sog. „hashes", welche einen kryptografischen Bezug zum vorangegangenen Block herstellen.[42] Für die Durchführung der Blockchain bedarf es erheblicher Rechenleistung durch die dezentralen Rechner, die im System hashes generieren und die Richtigkeit von Transaktionen abprüfen. Jeder Rechner im Blockchain-Netzwerk speichert die gesamte Kette und somit besteht eine umfassende Transparenz.[43] Diese Kette von Blöcken wird als „Blockchain" bezeichnet. Durch die dezentrale Funktionsweise der Blockchain ist ein hohes Maß an Fälschungssicherheit gewährleistet.[44] Die Einsatzmöglichkeiten der Blockchain-Technologie sind vielfältig und reichen von digitalen Registern[45] über „smart contracts"[46] hin bis zum Einsatz als digitale Währung.[47]

3.2 Funktionsweise Blockchain-basierter Währungssysteme am Beispiel Bitcoin

Anhand der Kryptowährung Bitcoin soll vereinfacht erläutert werden, wie Blockchain-basierte Währungssysteme funktionieren. Im Fall des Bitcoin besteht die

---

[38] So *Omlor*, ZRP 2018, 85.
[39] Vgl. *Schrey/Thalhofer*, NJW 2017, 1431, 1432.
[40] So *Martini/Weinzierl*, NVwZ 2017, 1251, 1252.
[41] Vgl. *Schrey/Thalhofer*, NJW 2017, 1431, 1432.
[42] So *Schlund/Pongratz*, DStR 2018, 598; so auch *Martini/Weinzierl*, NVwZ 2017, 1251, 1252.
[43] Vgl. *Schrey/Thalhofer*, NJW 2017, 1431, 1432.
[44] Da die Transaktionshistorie auf vielen verschiedenen Rechnern abgelegt ist, würden diese eine gefälschte Blockchain als solche erkennen und keine Transaktionen unter ihrer Nutzung zulassen. Ein „klassischer Hackerangriff" ist demnach kaum möglich.
[45] So *Welzel/Eckert/Kirstein/Jacumeit*, Mythos Blockchain, S. 18.
[46] Vgl. *Heckmann/Kaulartz*, CR 2016, 618, 621; Jauernig BGB – *Berger*, § 929 Rn. 4; *Schrey/Thalhofer*, NJW 2017, 1431.
[47] So *Martini/Weinzierl*, NVwZ 2017, 1251, 1252.

zugrundeliegende Blockchain aus einer Liste von Blocks, in welche die mit Bitcoin getätigten Transaktionen eines bestimmten Zeitraums eingetragen werden.[48] Hierzu zählt sowohl die originäre Schöpfung mittels Mining als auch der derivative Erwerb.[49] Die Bitcoin-Blockchain kann man sich demnach als Kontobuch vorstellen, welches jede jemals mit Bitcoin getätigte Transaktion enthält und somit einen Überblick über die gesamte Historie des Bitcoin-Systems gibt. Die Bitcoin-Blockchain wird auf den Rechnern aller Nutzer und somit öffentlich, aber dezentral gespeichert.[50]

Die Bitcoin-Transaktionen sind mit Banküberweisungen vergleichbar.[51] Bei einer Transaktion werden aus dem elektronischen Portemonnaie, dem sog. Wallet, des Absenders Bitcoin in das Wallet des Empfängers transferiert.[52] Anders als bei einer Banküberweisung erfolgt die Transaktion Peer-to-Peer, d. h. ohne Umweg über eine zentrale Instanz.[53] Bei der Bitcoin-Transaktion kommt ein privater Schlüssel des Absenders, welchen nur der Inhaber des Bitcoins kennt, zum Einsatz. Nur mit diesem Schlüssel können Transaktionen dieser Bitcoins signiert werden. Der private Schlüssel ist mit einer eigenhändigen Unterschrift vergleichbar. Er kann entweder in Papierform vorliegen oder in einem Wallet auf einem Computer, Tablet, Smartphone oder auch auf dem Server eines Online-Anbieters, einem sog. „Online-Wallet", verwahrt werden.[54] Auf der anderen Seite wird ein öffentlicher Schlüssel benutzt. Dieser ist vergleichbar mit dem Bankkonto des Empfängers einer Banktransaktion, da aus ihm die Bitcoin-Adresse generiert wird. Derjenige, der Bitcoins überweisen möchte, muss zunächst die aus dem öffentlichen Schlüssel generierte Empfängeradresse mitgeteilt bekommen, um dann eine bestimmte Zahl von eigenen Bitcoins mit der Empfängeradresse zu einer Transaktion zu verbinden, die er abschließend mit seinem eigenen privaten Schlüssel signiert.[55] Vereinfacht dargestellt ist eine Bitcoin-Transaktion in Abbildung 2.

---

[48] So *Lerch*, ZBB 2015, 190, 192 ff.; *Hildner*, BKR 2016, 485, 486 ff.
[49] Vgl. *Omlor,* ZRP 2018, 85.
[50] So *Schrey/Thalhofer*, NJW 2017, 1431, 1432.
[51] Vgl. *Boehm/Pesch*, MMR 2014, 75.
[52] So *Schrey/Thalhofer*, NJW 2017, 1431.
[53] Vgl. *Boehm/Pesch*, MMR 2014, 75.
[54] So *Safferling/Rückert*, MMR 2015, 788; *Kütük/Sorge*, MMR 2014, 643; *Boehm/Pesch*, MMR 2014, 75; *Sorge/Krohn-Grimberghe*, DuD 2012, 479; *Engelhardt/Klein*, MMR 2014, 355; *Spindler/Bille*, WM 2014, 1357; *Kuhlmann*, CR 2014, 691.
[55] Vgl. *Schrey/Thalhofer*, NJW 2017, 1431, 1432.

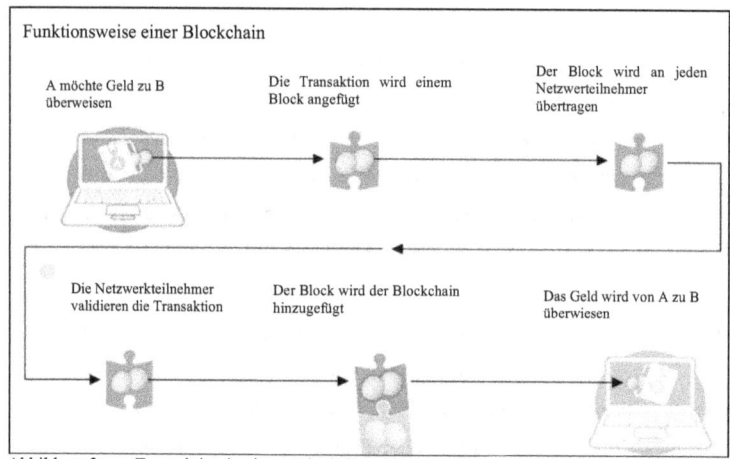

Abbildung 2:   Transaktion in einem Blockchain-basierten Währungssystem
In Anlehnung an *Financial times* (URL), zuletzt abgerufen am 25.08.2018.

Da alle Bitcoin-Bewegungen in die Blockchain eingestellt werden, sind diese trotz des Fehlens zentraler Kontrolle nachprüfbar.[56] An der Blockchain lässt sich ablesen, von welchem Konto wann welche Transaktion getätigt worden ist. Weiterhin ist dadurch gewährleistet, dass die verwendeten Bitcoins nicht mehrfach ausgegeben werden können und dass der Transferierende auch deren Inhaber ist.[57]

3.3   Entstehung neuer Kryptowährungseinheiten durch Mining

Abschließend wird am Beispiel Bitcoin vereinfacht erläutert, wie Kryptowährungseinheiten entstehen. Neben der zuvor erläuterten Verifikationsfunktion der Blockchain, ist diese auch Quelle neuer Einheiten der jeweiligen Kryptowährung. Das Bitcoin-System gestattet den Nutzern, die Blockchain fortzuführen und so neue Bitcoins zu generieren. Wie eingangs beschrieben, wird die Blockchain, welche die mit den Bitcoins getätigten Transaktionen enthält, durch die Nutzer des Systems errechnet.[58] Das Bitcoin-System stellt den Nutzern dabei eine auf kryptographischen Algorithmen basierende Rechenaufgabe. Wessen Computer eine passende Lösung zu dieser findet, darf die Blockchain ergänzen und erhält zur Belohnung

---

[56] So auch *Reiter/Nolte*, BB 2018, 1179, 1180.
[57] Vgl. *Schimansky/Bunte/Lwowski*, Bankrechts-Handbuch, Rn. 135 – 140.
[58] So *Dietsch*, MwStR 2018, 250, 251.

eine gewisse Anzahl von Bitcoins. Diese Belohnung wird auch als „Block-Review"
bezeichnet. Der gesamte Prozess wird als „Mining" bezeichnet. Das Mining von
Bitcoins durch die Fortschreibung der Blockchain erfordert einen gewissen Arbeits-
einsatz, der durch die Zurverfügungstellung von Rechenkapazität gewährleistet
wird.[59] Der Bitcoin-Code schreibt vor, dass die Bitcoin-Grenze bei 21 Millionen
Bitcoins liegt. Das Protokoll wurde so konzipiert, dass die Rate, mit der die Bitcoins
produziert werden, im Laufe der Zeit langsamer wird. Das Mining wird aufgrund
der stetig wachsenden Blockchain, die auf allen Rechnern des Netzwerks gespeichert werden muss, stetig zeitaufwändiger. Somit gerät der Rechenaufwand der
Transaktionen einschließlich der damit verbundenen Energiekosten außer Verhält-
nis zu den finanzierenden Transaktionsgebühren.[60] Ende April 2018 waren insgesamt 17 Millionen Bitcoins „abgebaut". Es wird prognostiziert, dass bis zum Jahr
2040 der letzte Bitcoin geschaffen wurde.[61]

4 Zivilrechtliche Einordnung von Kryptowährungen

Eine zivilrechtliche Darstellung der Kryptowährungen ist schwer zu fassen.[62] Es
stellt sich die Frage nach der vertraglichen Einordnung der Kryptowährungen, wenn
diese zur Bezahlung eines Gegenstandes verwendet werden. Die Antwort auf diese
Frage, hängt von der Rechtsnatur einer Kryptowährung ab.[63] Die nachfolgenden
Ausführungen gelten ausschließlich für Kryptowährungen. Eine abweichende zivilrechtliche Einordnung ist bei nicht als Kryptowährung konzipierten Token
durchaus möglich.[64]

4.1 Rechtsnatur von Kryptowährungen

Zivilrechtlich sind Kryptowährungen mangels Körperlichkeit nicht als Sache, sondern als Gegenstand i. S. d. § 90 Bürgerliches Gesetzbuch (BGB) zu qualifizieren.
Dieser Begriff kann sich auf Daten in unterschiedlicher Form sowie auf virtuelle
und immaterielle Gegenstände beziehen.[65] Eine Qualifizierung als Forderung

---

[59] So *Boehm/Pesch*, MMR 2014, 75, 76.
[60] Es wird prognostiziert, dass Blockchain-Systeme ab einer bestimmten Größe an Kapazitätsgren-
zen stoßen und unwirtschaftlich werden; so *Welzel/Eckert/Kirstein/Jacumeit*, Mythos Blockchain, S. 31.
[61] Vgl. *Huillet, Marie* (URL), zuletzt abgerufen am 25.08.2018.
[62] So *Boehm/Pesch*, MMR 2014, 75, 77; so auch *Schlund/Pongratz*, DStR 2018, 598, 600.
[63] Vgl. *Schlund/Pongratz*, DStR 2018, 598, 600.
[64] So *Krauß/Blöchle*, DStR 2018, 1210, 1211.
[65] Vgl. BeckOK BGB – *Fritzsche*, § 90 Rn. 27; so auch *Spindler/Bille*, WM 2014, 1357, 1360.

kommt nicht in Betracht, da die Kryptowährungen nicht mit einem Anspruch verbunden sind.[66] Aufgrund des Mangels an einer zentralen, emittierenden Stelle, gibt es niemanden, gegen den sich diese Forderung richten könnte. Die Annahme einer Gesellschaft bürgerlichen Rechts nach § 705 BGB oder eines Vertrages sui generis nach § 311 BGB, die weiterhin als Grundlage einer Forderung herangezogen werden könnte, scheitert am fehlenden Gesellschaftszweck bzw. am nicht vorhandenen Rechtsbindungswillen der Teilnehmer des Netzwerkes.[67] Die für die Qualifikation als Immaterialgüterrechte maßgeblichen Normen § 69a Urheberrechtsgesetz (UrhG) oder § 2 Abs. 2 UrhG sind nicht einschlägig, da Kryptowährungen weder Computerprogramme i. S. d. § 69a Abs. 1 UrhG, noch persönliche geistige Schöpfungen nach § 2 Abs. 2 UrhG sind.[68]

Der entgeltliche Erwerb von Kryptowährungen ist ein Kauf sonstiger Gegenstände i. S. d. § 453 Abs. 1 S. 1 Alt. 2 BGB, so dass das allgemeine Kaufrecht nach den §§ 433 ff. BGB entsprechend anwendbar ist.[69] Wenn Kryptowährungen als Zahlungsmittel bei Erwerbsvorgängen eingesetzt werden, liegen Tauschgeschäfte i. S. d. § 480 BGB vor.[70] Nicht abschließend geklärt ist die zivilrechtliche Einordnung dinglicher Übertragungsvorgänge von Kryptowährungen.[71] Insbesondere die analoge Anwendung der §§ 929 ff. BGB, der §§ 398 ff. BGB oder die Übertragung als Realakt werden diskutiert.[72]

4.2 Kollision von Blockchain und Zivilrecht

Das deutsche Zivilrecht ist in Bezug auf Transaktionen nicht dem Prinzip der Unveränderlichkeit verhaftet. Vielmehr kennt das BGB eine Reihe von Tatbeständen, auf deren Grundlage Transaktionen ex tunc als nichtig betrachtet werden.[73] Zu nennen sind hier bspw. gesetzliche Verbote nach § 134 BGB, Sittenwidrigkeit nach § 138 BGB, Anfechtungstatbestände nach § 142 BGB oder der Grundsatz der schwebenden Unwirksamkeit bei Rechtsgeschäften Minderjähriger nach

---

[66] So *Boehm/Pesch*, MMR 2014, 75, 78.
[67] Vgl. *Spindler/Bille*, WM 2014, 1357, 1359.
[68] *BaFin* (URL2), S. 29, zuletzt abgerufen am 25.08.2018; so auch *Schlund/Pongratz*, DStR 2018, 598, 600.
[69] Vgl. *Schlund/Pongratz*, DStR 2018, 598, 600.
[70] So *Spindler/Bille*, WM 2014, 1357, 1362; hierzu auch *Schlund/Pongratz*, DStR 2018, 598, 600.
[71] So *Krauß/Blöchle*, DStR 2018, 1210, 1211.
[72] Vgl. *Spindler/Bille*, WM 2014, 1357, 1363; hierzu auch *Kaulartz*, CR 2016, 474, 478.
[73] Vgl. *Schrey/Thalhofer*, NJW 2017, 1431, 1436 f.

§§ 107 ff. BGB. Diese Tatbestände geraten in Widerspruch zur Unveränderlichkeit der Blockchain.[74] Bei einer Transaktionsverifikation in der Blockchain ist es nicht möglich, Nichtigkeitstatbestände von Anfang an zu berücksichtigen und somit zu vermeiden, dass zivilrechtlich nichtige Transaktionen in der Blockchain niedergelegt werden. Nach heutigem Stand ist es – trotz Legal Tech – noch nicht möglich, die Nichtigkeit einer Transaktion maschinell überprüfen zu lassen. Genau dies ist aber das Prinzip der Blockchain. Rechner überprüfen aufgrund vorhergehender Transaktionsdaten, ob sie einer neuen Transaktion vertrauen und schreiben diese, wenn das der Fall ist, unveränderlich in die Blockchain.[75]

Man könnte nun auf den Gedanken kommen, sämtliche den Bestand einer Transaktion nachträglich gefährdenden Rechte vertraglich auszuschließen, z. B. im Rahmen eines Teilnahmevertrags an dem jeweiligen Blockchain-Netzwerk. Allerdings sind die Bestimmungen des Teilnahmevertrags als Allgemeine Geschäftsbedingungen (AGB) i. S. d. § 305 BGB zu qualifizieren und dem Ausschluss von Rechten sind somit enge Grenzen gesetzt. Damit wird dem sehr strengen deutschen AGB-Recht auch wesentlicher Einfluss auf den Einsatz von Blockchaintechnologien und Kryptowährungen zuteil.[76] Allerdings bedeutet dies aus Praktikersicht einen Standortnachteil für Recht „Made in Germany".[77]

Einziger Lösungsansatz des Konflikts ist die Möglichkeit der Einführung von fiktiven Transaktionen, sog. „Reverse Transactions", die solange und soweit die Kette beeinträchtigt ist, d. h. in Fällen von Nichtigkeit, Rücktritt, etc., solange gegenläufige Transaktionen in die Kette einführen, bis der korrekte Status wiederhergestellt ist. Durch Reverse Transactions wird die Verlässlichkeit der Transaktionshistorie stark beeinträchtigt, da Transaktionen in der Blockchain verbleiben, welche es rechtlich gar nicht gab. Allerdings wird man diese Schwäche letztlich verschmerzen können. Am Ende überwiegt für die Teilnehmer an einer Blockchain die korrekt dokumentierte Inhaberschaft an den Transaktionsobjekten als das entscheidende Kriterium für die Verlässlichkeit des Systems.[78]

---

[74] So *Schlund/Pongratz*, DStR 2018, 598, 601.
[75] Ähnlich *Schrey/Thalhofer*, NJW 2017, 1431, 1435 ff.
[76] Vgl. *Schrey/Thalhofer*, NJW 2017, 1431, 1436.
[77] So *Schlinkert*, ZRP 2017, 222.
[78] Vgl. *Schrey/Thalhofer*, NJW 2017, 1431, 1436.

5 Aufsichtsrechtliche Einordnung von Kryptowährungen

Der entscheidende Unterschied zu herkömmlichen Währungen ist, dass es keine zuständige Zentralbank oder verantwortlichen Dienstleister mit Kontrollrechten gibt.[79] Ein idealistisches Interesse an der Unterstützung eines dezentralen Zahlungssystems, aber auch praktische Gründe, wie schnelle, transparente Transaktionen und geringe Transaktionskosten sowie eine unkomplizierte globale Funktionsweise der Zahlungsinfrastruktur der Kryptowährungen, sprechen für die Implementierung von Kryptowährungen als Zahlungsmethode.[80] Durch die gewährleistete Pseudonymität für die Nutzer und der weitgehenden Abwesenheit von staatlichen Kontrollen bieten sich die Kryptowährungen außerdem für die Abwicklung illegaler Geschäfte an.[81] Trotz einer Verwendung der Kryptowährungen, die einer Verwendung von Geld nahe kommt, wenn nicht sogar gleicht, muss hinterfragt werden, ob es sich bei den Kryptowährungen auch aufsichtsrechtlich betrachtet um Geld handelt.

5.1 Kryptowährungen als Bar- und Buchgeld

Eine allgemeine gesetzliche Definition von Geld existiert nicht.[82] Ist vertraglich vereinbart, dass Bargeld geschuldet ist, handelt es sich dabei um Geldmünzen oder Banknoten, also Sachen.[83] Die Kryptowährungen sollen zwar die Funktion von Zahlungsmitteln übernehmen, doch es dürfte Einigkeit darin bestehen, dass es sich bei den Kryptowährungen nicht um gesetzliche Zahlungsmittel handelt.[84] Gemäß § 14 Abs. 1 S. 2 Bundesbankgesetz (BBankG) sind auf Euro lautende Banknoten das einzige unbeschränkte gesetzliche Zahlungsmittel. Ebenso fehlt es den Kryptowährungen an der erforderlichen Körperlichkeit.[85]

Weiterhin könnte es sich bei den Kryptowährungen um Buchgeld handeln.[86] Buchgeld stellt nicht verkörpertes Geld dar.[87] Um die Kryptowährungen als Buchgeld zu

---

[79] So *Schlund/Pongratz*, DStR 2018, 598, 599.
[80] So *Boehm/Pesch*, MMR 2014, 75, 76.
[81] Vgl. *Boehm/Pesch*, MMR 2014, 75, 76.
[82] So *Spindler/Bille*, WM 2014, 1357, 1360.
[83] Vgl. BeckOK BGB – *Grothe*, § 244 Rn. 9.
[84] Vgl. *Eckert*, DB 2013, 2108, 2109; so auch *Spindler/Bille*, WM 2014, 1357, 1360; *Boehm/Pesch*, MMR 2014, 75, 76.
[85] So *Spindler/Bille,* WM 2014, 1357, 1360.
[86] Vgl. *Schlund/Pongratz*, DStR 2018, 598, 599.
[87] So Schulze BGB – *Schulze*, § 244 Rn. 3.

qualifizieren, bedarf es jedoch einer Guthabenforderung zugunsten des Geldgläubigers.[88] Die Qualifikation der Kryptowährungen als Buchgeld scheitert folglich an einer bestehenden Forderung gegenüber einem Kreditinstitut in Form eines Guthabens, da Kryptowährungen nicht bei Kreditinstituten, sondern in Wallets verwahrt werden.[89]

5.2 Kryptowährungen als E-Geld

Weiterhin könnte es sich bei den Kryptowährungen um Elektronisches Geld (E-Geld) i. S. d. § 1 Abs. 2 S. 3 Zahlungsdiensteaufsichtsgesetz (ZAG) handeln. Gemäß § 1 Abs. 2 S. 3 ZAG bedarf es für die Qualifikation als E-Geld eines elektronisch gespeicherten Wertes in Form einer Forderung gegenüber einem Emittenten, der gegen Zahlung eines Geldbetrages ausgestellt wird, um damit Zahlungsvorgänge i. S. d. § 675f Abs. 3 S. 1 BGB durchzuführen und der auch von anderen natürlichen oder juristischen Personen als dem Emittenten angenommen wird.

Ein solcher monetärer Wert kann unter Beachtung der immensen Kurssteigerungen durchaus angenommen werden.[90] Grds. handelt es sich bei Kryptowährungen um eben solche elektronisch gespeicherten Werte, die aufgrund der Tausch- und Zahlungsfunktion als monetäre Werte angesehen werden können. Weiterhin sollte sich die hohe Volatilität der Kryptowährungen und die mit dieser verbundenen Kursverluste nicht auf eine denkbare Qualifikation der Kryptowährungen als E-Geld auswirken, da auch staatliche Währungen solchen Schwankungen unterliegen können.[91] Weiterhin könnte man überlegen, ob in der Gruppe der am Netzwerk teilnehmenden Nutzer die Emittenten zu erblicken sind.[92] Gegen diese Auffassung spricht v. a. der fehlende Rechtsbindungswille der Teilnehmer am Netzwerk.[93] Die Tatsache, dass es an einem Emittenten fehlt, deckt sich auch mit dem Grundgedanken hinter Kryptowährungen. Kryptowährungen werden durch Mining geschaffen und nicht etwa gegen die Zahlung eines Geldbetrages ausgegeben. Die Kryptowährungen sollen gerade frei sein von einer zentralen Stelle und ohne Einschaltung eines

---

[88] Vgl. BeckOK BGB – *Grothe*, § 244 Rn. 9.
[89] So *Eckert*, DB 2013, 2108, 2109; ähnlich *Spindler/Bille*, WM 2014, 1357, 1360.
[90] Vgl. *Schlund/Pongratz*, DStR 2018, 598, 599.
[91] Vgl. *Schlund/Pongratz*, DStR 2018, 598, 600.
[92] So *Schlund/Pongratz*, DStR 2018, 598, 599.
[93] Vgl. *Spindler/Bille*, WM 2014, 1357, 1360.

Dritten funktionieren.[94] Diese Ansicht ist deckungsgleich zur Ansicht der BaFin, dass lediglich bei Vorliegen einer zentralen Stelle von E-Geld ausgegangen werden kann.[95] Die Qualifikation von Kryptowährungen als E-Geld scheitert demnach am fehlenden Emittenten.

5.3 Kryptowährungen als Finanzinstrumente

Die BaFin qualifiziert Kryptowährungen als Finanzinstrumente in der Variante der Rechnungseinheiten gemäß § 1 Abs. 11 S. 1 Nr. 7 Kreditwesengesetz (KWG).[96] Unter Rechnungseinheiten sind Maßeinheiten zu verstehen, d. h. künstliche Einheiten, die es ermöglichen, den Wert von Gütern in jener Einheit auszudrücken.[97] Vergleichen kann man diese Rechnungseinheiten mit Devisen. Allerdings lauten diese im Gegenteil zu Devisen nicht auf gesetzliche Zahlungsmittel.[98]

Ob es sich bei Kryptowährungen um solche Rechnungseinheiten handelt ist jedoch nicht unumstritten. Ein wesentliches Argument, welches für die Einordnung von Bitcoins als Rechnungseinheiten spricht ist der Wortlaut des § 1 Abs. 11 S. 1 Nr. 7 KWG. Nach diesem ist eine solche Einordung keinesfalls ausgeschlossen. Ausschlaggebend für eine solche Einordnung ist jedoch vielmehr der Schutzzweck, der hinsichtlich der Öffentlichkeit im Zusammenhang mit den Missständen der Finanzwirtschaft bzw. des Geldverkehrs steht. Kryptowährungen sind mittlerweile nicht nur weitreichend bekannt, sondern werden auch vermehrt im Online-Handel akzeptiert. Online stellen Bitcoins bereits jetzt ein weitverbreitetes Tauschmittel dar, was ein wesentliches Merkmal des volkswirtschaftlichen Geldbegriffs darstellt. Ebenfalls werden Kryptowährungen trotz einer hohen Volatilität als Wertaufbewahrungsmittel eingesetzt. Daher erscheint es legitim, Kryptowährungen als Finanzinstrumente nach § 1 Abs. 11 S. 1 Nr. 7 KWG einzuordnen, wie es auch die deutsche Finanzaufsicht BaFin tut. Durch diese Einordnung der BaFin wird ein regulatorischer Rahmen geschaffen: Bestimmte Finanzdienstleistungen mit Kryptowährungen unterliegen durch diese Einordnung einem Erlaubnisvorbehalt.[99]

---

[94] So *Schlund/Pongratz*, DStR 2018, 598, 600.
[95] *BaFin* (URL2), S. 27, zuletzt abgerufen am 25.08.2018.
[96] Vgl. *Schlund/Pongratz*, DStR 2018, 598, 600.
[97] So *Spindler/Bille*, WM 2014, 1357, 1361.
[98] Vgl. *Schlund/Pongratz*, DStR 2018, 598, 600.
[99] Ähnlich *Richter/Augel*, FR 2017, 937, 940; so auch *Spindler/Bille*, WM 2014, 1357, 1362.

5.4 Fazit zur aufsichtsrechtlichen Einordnung von Kryptowährungen

Alle Kryptowährungen haben den Charakter eines nicht-staatlichen Ersatzzahlungsmittels mit begrenzter Menge, das digital verwaltet und im Rahmen eines Leistungsaustauschs eingesetzt werden kann.[100] In Deutschland wird der Bitcoin, aber auch andere Kryptowährungen verwaltungsseitig grds. nicht als gesetzliche Währung oder E-Geld anerkannt, da es i. d. R. an einem Emittenten fehlt, welcher die Kryptowährungseinheiten unter Begründung einer Forderung gegen sich ausgibt.[101] Bei den Kryptowährungen handelt es sich gemäß § 1 Abs. 11 S. 1 Nr. 7 KWG um Rechnungseinheiten, die nicht auf gesetzliche Zahlungsmittel lauten, aber mit Devisen vergleichbar sind und denen ein materieller Wert innewohnt.[102]

6 Umsatzsteuerliche Behandlung von Kryptowährungsgeschäften

Zunächst wird die korrekte umsatzsteuerliche Behandlung von Kryptowährungsgeschäften geklärt werden. Es ist fraglich, ob Geschäfte mit Kryptowährungen, ähnlich wie solche mit konventionellen Währungen, von der Umsatzsteuer befreit sind.

6.1 Rechtsgrundsätze des Europäischen Gerichtshof zur umsatzsteuerlichen Behandlung von Kryptowährungen

Der Europäische Gerichtshof (EuGH) hat bereits im Jahr 2015 in der Rechtssache Hedqvist zu dieser Frage Stellung genommen. Das aus Schweden kommende Vorabentscheidungsersuchen wollte geklärt wissen, ob es sich beim Umtausch von Kryptowährungen in eine herkömmliche Währung und umgekehrt um eine Dienstleistung gegen Entgelt i. S. d Art. 2 Abs. 1 RL 2006/112/EG (MwStSystRL)[103] handelt und ob diese Leistung demnach nach Art. 135 Abs. 1 MwStSystRL[104] von der Mehrwertsteuer befreit sei.[105] Vorab hatte der schwedische Steuerrechtsausschuss den An- und Verkauf von Bitcoins unter Verweis auf das EuGH-Urteil vom 14.07.1998 als steuerbare Umtauschdienstleistung beurteilt, die aber nach

---

[100] So *Reiter/Nolte*, BB 2018, 1179, 1180.
[101] Vgl. *Schlund/Pongratz*, DStR 2018, 598, 599.
[102] So *Schlund/Pongratz*, DStR 2018, 598, 600.
[103] Siehe Anhang 1.
[104] Siehe Anhang 4.
[105] EuGH, BStBl. II 2018, 211.

schwedischem Recht von der Mehrwertsteuer befreit sei.[106] Der Kläger wollte Dienstleistungen in Form des An- und Verkaufs von Bitcoins anbieten, welche von Privatpersonen und Unternehmern oder von einem internationalen Umtauschportal angekauft und über die Internetseite des Klägers wieder verkauft werden.[107]

Mit Urteil vom 22.05.2015 entschied der EuGH, dass es sich beim Umtausch von staatlichen Währungen in Einheiten des Bitcoin – und umgekehrt – über entsprechende Handelsplattformen im Internet um eine umsatzsteuerbare Dienstleistung gegen Entgelt gemäß Art. 2 Abs. 1 Buchst. c MwStSystRL handelt. Der EuGH führte weiterhin aus, dass zwischen den Beteiligten ein gegenseitiges Rechtsverhältnis bestehe, in dessen Rahmen sich die an dem Umsatz Beteiligten gegenseitig verpflichten, Beträge in einer bestimmten Währung zu überlassen und den entsprechenden Gegenwert in einer beidseitig handelbaren Kryptowährung zu erhalten oder umgekehrt. Die betroffenen Umsätze seien mit einem herkömmlichen Währungsumtausch vergleichbar, da die Vergütung der Spanne entspreche, die das Unternehmen in die Berechnung des Wechselkurses einbeziehe, zu dem es bereit sei, die jeweilige Währung zu verkaufen oder anzukaufen.[108]

Allerdings sind die Umsätze aus dieser Dienstleistung nach Auffassung des EuGHs nach Art. 135 Abs. 1 Buchst. e MwStSystRL von der Umsatzsteuer befreit.[109] Gemäß Art. 135 Abs. 1 Buchst. e MwStSystRL unterliegen Umsätze, die sich auf Devisen, Banknoten und Münzen beziehen, die gesetzliche Zahlungsmittel sind, nicht der Besteuerung. Die verschiedenen Sprachfassungen der Befreiungsnorm lassen es nicht zu, eine eindeutige Aussage darüber zu treffen, ob von dem Begriff der gesetzlichen Zahlungsmittel lediglich staatliche Währungen umfasst seien. Da der Befreiungstatbestand sprachlich nicht eindeutig gefasst ist, sei Art. 135 Abs. 1 Buchst. e MwStSystRL nicht auf einer grammatikalischen Grundlage auszulegen, sondern muss im Kontext und Licht des Zwecks und der Systematik der MwStSystRL betrachtet werden. Legt man Art. 135 Abs. 1 Buchst. e MwStSystRL teleologisch aus, so komme man zu dem Ergebnis, dass dieser insbesondere, die im Rahmen der Besteuerung von Finanzgeschäften auftretenden

---

[106] EuGH, DStRE 1998, 680.
[107] EuGH, BStBl. II 2018, 211, Rn. 10 f.
[108] EuGH, BStBl. II 2018, 211, Rn. 57.
[109] EuGH, BStBl. II 2018, 211, Rn. 53.

Schwierigkeiten bei der Bestimmung der Bemessungsgrundlage und der Höhe der abzugsfähigen Vorsteuerbeträge im Fall der Steuerpflicht solcher Leistungen, beseitigen soll. In diesen Anwendungsbereich fallen auch die Bitcoin-Transaktionen gegen staatliche Währungen, da eine Beschränkung der Steuerbefreiung auf konventionelle Währungen, die Norm in Teilen wirkungslos machen würde. Demnach handle es sich auch bei diesen alternativen Währungen um Finanzgeschäfte i. S. d. MwStSystRL, soweit die erhaltene Währung – auch wenn es sich wie beim Bitcoin dabei nicht um eine konventionelle Währung handelt – von den an der Transaktion Beteiligten als alternatives Zahlungsmittel zu den gesetzlichen Zahlungsmitteln akzeptiert worden ist und keinem anderen Zweck als der Verwendung als Zahlungsmittel dient. Bei einer Transaktion der Kryptowährung Bitcoin sei genau dies gegeben.[110]

Interessant ist in diesem Zusammenhang, dass der EuGH annimmt, Bitcoins würden keinem anderen Zweck als der Verwendung als Zahlungsmittel dienen. Ob er dies angesichts der letzten Kursentwicklungen auch noch so beurteilen würde, kann durchaus bezweifelt werden. Durch die Qualifikation von Bitcoins als vertragliches Zahlungsmittel, erteilt das Gericht jedoch zumindest im Bereich des Umsatzsteuerrechts einer „staatlichen Theorie des Geldes"[111] eine Absage. Die umsatzsteuerliche Anerkennung als Währung hat außerdem zur Folge, dass auch Rechnungen nach § 14 Abs. 4 Nr. 7 Umsatzsteuergesetz (UStG) in Bitcoin ausgestellt werden können.[112]

Weiterhin prüfte der EuGH eine Befreiung nach Art. 135 Abs. 1 Buchst. d und f MwStSystRL, aber verneinte mit Blick auf deren Wortlaut die Anwendbarkeit. Die Bitcoins seien keine Gegenstände der in Art. 135 Abs. 1 Buchst. d MwStSystRL genannten Umsätze im Zahlungs- und Überweisungsverkehr und auch keine Wertpapiere i. S. d. Art. 135 Abs. 1 Buchst. f MwStSystRL.[113]

---

[110] EuGH, BStBl. II 2018, 211, Rn. 41-53.
[111] Ausführlicher zur makroökonomischen Theoriengeschichte des Geldes siehe *Rossi, Sergio*, Money and Payments in Theory and Practice.
[112] Vgl. *Schlund/Pongratz*, DStR 2018, 598, 602.
[113] EuGH, BStBl. II 2018, 211.

6.2 Stellungnahme des Bundesfinanzministeriums

Die deutsche Bundesregierung hatte vor Erlass des Urteils die Auffassung vertreten, dass sich § 4 Nr. 8 Buchst. b UStG nur auf gesetzliche Zahlungsmittel beziehe und demnach der Handel mit Bitcoins nicht umsatzsteuerbefreit sei.[114] Die Bundesregierung hält an diesem Grundsatz nun nicht mehr fest und übernimmt die Aussagen des Hedqvist-Urteils für den Bereich des Umtauschs von Bitcoin in eine konventionelle Währung.[115] Auch die Finanzverwaltung hat sich zur Frage der umsatzsteuerlichen Behandlung von Kryptowährungen geäußert und klärte die aus ihrer Sicht maßgebliche Behandlung von Bitcoin. Der EuGH hat sich in seinem Urteil lediglich mit der umsatzsteuerlichen Behandlung des Bitcoin auseinandergesetzt, das veröffentlichte BMF-Schreiben enthält jedoch glücklicherweise die Aussage, dass sich die vorgenannten Grundsätze auch auf andere Kryptowährungen übertragen lassen.[116]

Mit dem Schreiben vom 27.02.2018 schließt sich das BMF bzgl. der umsatzsteuerlichen Behandlung des Bitcoin und sonstiger virtueller Währungen der Rechtsprechung des EuGH an. Gemäß dem Schreiben des BMF handelt es sich beim Umtausch von staatlichen Währungen in Kryptowährungen, sowie beim Umtausch von Kryptowährungen zurück in eine staatliche Währung um eine umsatzsteuerbare sonstige Leistung, die im Rahmen einer richtlinienkonformen Auslegung des § 4 Nr. 8b UStG umsatzsteuerbefreit ist. Die umsatzsteuerliche Bemessungsgrundlage, das Entgelt, bestimmt sich grds. nach dem Gegenwert, in der Währung des Mitgliedstaates, in dem die Leistung erfolgt und zu dem Zeitpunkt zu dem diese ausgeführt wird. Die Umrechnung erfolgt zum letzten veröffentlichten Verkaufskurs und ist vom leistenden Unternehmer zu dokumentieren. Bzgl. des Umtauschs gelten demnach die Vorgaben des EuGHs. Weiterhin beinhaltet das BMF Schreiben vom 27.02.2018 auch eine entsprechende Ergänzung des Umsatzsteueranwendungserlasses.[117]

---

[114] BT-Drucks. 17/14530, S. 41; BT-Drucks. 17/14803, S. 25.
[115] BT-Drucks. 19/370, S. 21 f.
[116] BMF-Schreiben v. 27.02.2018, BStBl I 2018, 316.
[117] BMF-Schreiben v. 27.02.2018, BStBl I 2018, 316; hierzu auch *Liegmann*, BB 2018, 1175.

6.3 Umsatzsteuerliche Behandlung einzelner Sonderfälle

Das BMF äußerte sich weiterhin zur umsatzsteuerlichen Behandlung von Wallets, Handelsplattformen und des Minings.[118] Bei einem Wallet handelt es sich, wenn dafür eine Gebühr bezahlt werden muss, um eine auf elektronischem Weg erbrachte steuerbare und steuerpflichtige sonstige Leistung i. S. d. § 3a Abs. 5 S. 2 Nr. 3 UStG.[119] Bei Handelsplattformen, die lediglich dem Handel dienen, kommt eine Steuerbefreiung gemäß § 4 Nr. 8 UStG nicht in Betracht. Ob § 4 Nr. 8 Buchst. b UStG anwendbar ist, wenn der Plattformbetreiber den Kauf und Verkauf als Mittelsperson im eigenen Namen vornimmt, ist weiterhin ungeklärt.[120] Bzgl. der umsatzsteuerlichen Behandlung des Minings ist von nicht steuerbaren Vorgängen auszugehen.[121] Man muss hier jedoch zwischen evtl. vereinnahmten Transaktionsgebühren und der Erzeugung der Kryptowährungen selbst unterscheiden.[122] Bspw. bei der Schöpfung neuer Bitcoins fehlt es an bestimmbaren Leistungsempfängern und somit bereits an der Steuerbarkeit.[123] Bzgl. der Gebühren, die für eine elektronische Dienstleistung – die Bündelung der Transaktionsdaten – erhalten werden, ist ein Leistungsort nicht definierbar, weshalb eine Steuerbarkeit ebenfalls ausscheidet.[124] Weiterhin hebt die Finanzverwaltung hervor, dass die Transaktionsgebühren freiwillig bezahlt werden und es an einem unmittelbaren Zusammenhang mit den Leistungen der Miner fehle.[125]

6.4 Fazit zur umsatzsteuerlichen Behandlung von Kryptowährungen

Das BMF hat in seinem Schreiben grds. die Entgelteigenschaft von Kryptowährungen bejaht, wenn diese von den an der Transaktion Beteiligten als alternatives vertragliches und unmittelbares Zahlungsmittel akzeptiert worden sind und keinem anderen Zweck als der Verwendung als Zahlungsmittel dienen. Erfüllen die Kryptowährungen die genannten Voraussetzungen eines Zahlungsmittels, entsprechen diese auch einem Entgelt i. S. d. § 1 Abs. 1 Nr. 1 UStG.[126] Im Gegensatz zu Kryptowährungen sind die Voraussetzungen eines Zahlungsmittels bei Gold oder

---

[118] So *Schlund/Pongratz*, DStR 2018, 598, 602.
[119] BMF-Schreiben v. 27.02.2018, BStBl I 2018, 316.
[120] Vgl. *Schlund/Pongratz*, DStR 2018, 598, 602.
[121] BMF-Schreiben v. 27.02.2018, BStBl I 2018, 316.
[122] Vgl. *Schlund/Pongratz*, DStR 2018, 598, 602.
[123] BMF-Schreiben v. 27.02.2018, BStBl I 2018, 316; so auch *Pielke*, MwStR 2016, 150,152.
[124] Vgl. *Pielke*, MwStR 2016, 150, 152.
[125] BMF-Schreiben v. 27.02.2018, BStBl I 2018, 316.
[126] So *Dietsch*, MwStR 2018, 250, 252.

Zigaretten nicht erfüllt, da diese je nach Situation ebenfalls als Zahlungsmittel eingesetzt werden könne, aber auch v. a. eine andere praktische Verwendungsmöglichkeit neben der eines Zahlungsmittels besitzen.[127] Gemäß § 4 Nr. 8b S. 1 UStG liegt beim nicht-gewerblichen Tausch von Kryptowährungen eine umsatzsteuerfreie sonstige Leistung vor. Ein nicht umsatzsteuerbarer Vorgang liegt vor, wenn die Kryptowährungen ausschließlich als Entgelt eingesetzt werden. Wird privates Mining gegen Gebühren betrieben, fehlt es am notwendigen umsatzsteuerlichen Leistungsaustausch. Anders verhält es sich hingegen, wenn ein Bestand an Kryptowährungen in Wallets aufbewahrt wird. Erhebt für diese Leistung der Wallet-Anbieter Gebühren, handelt es sich um eine steuerbare und steuerpflichtige sonstige Leistungen, soweit der Leistungsort im Inland liegt. Vergleichbare Kontoführungsgebühren für die Verwahrung eines Kontoguthabens, die Kreditinstitute berechnen, stellen jedoch steuerfreies Entgelt dar.[128]

7   Ertragsteuerrechtliche Behandlung von Kryptowährungen

Von der Ertragsbesteuerung ist i. d. R. jeder private oder institutionelle Anleger, der in Deutschland der Steuerpflicht unterliegt, betroffen. Neben einer persönlichen Steuerpflicht der Investoren muss jedoch auch eine sachliche Steuerpflicht vorliegen. Die nachfolgende ertragsteuerrechtliche Darstellung gilt grds. auch für Investitionen in nicht Blockchain-basierte Token.[129] Diese können jedoch auch als Wertpapiere oder Anteile an einem Investmentvermögen qualifizieren bzw. gesellschaftsrechtliche Mitspracherechte oder eine Gewinnbeteiligung vermitteln.

In diesen Fällen können sich abweichende steuerrechtliche Folgen ergeben.[130] Die den Token zugrundliegenden Geschäftsmodelle reichen von Investitionsgemeinschaften bis zu Lizensierungsmodellen für Softwaredienstleistungen. Trotzdem bestehen für die verschiedenen Ausgestaltungsformen unterschiedliche korrespondierende Besteuerungskonzepte im deutschen Steuerrecht. Im folgenden Punkt wird ausschließlich auf die ertragssteuerliche Behandlung von Currency Token im Privat- und Betriebsvermögen eingegangen und die Unterschiede hinsichtlich der Besteuerung bei direkten und indirekten Investitionen in Kryptowährungen hervorgehoben.

---

[127] EuGH, BStBl. II 2018, 211.
[128] Vgl. *Thurow, Christian*, BC 4/2018, 154.
[129] So *Krauß/Blöchle*, DStR 2018, 1210, 1215.
[130] Vgl. *Burchert/Böser*, DB 2018, 857.

7.1 Direktinvestitionen

Die ertragssteuerliche Behandlung von Direktinvestitionen in Kryptowährungen hängt v. a. davon ab, ob eine Investition im gewerblichen Betriebsvermögen oder im Rahmen der privaten Vermögensverwaltung getätigt wird.[131] Bzgl. der direkten Investitionen soll nachfolgend auf die m. E. in der Praxis am relevantesten Tatbestände, dem Handel und Mining von Kryptowährungen, eingegangen werden.

7.1.1 Abgrenzung privater Vermögensverwaltung von Gewerblichkeit im Umfeld der Kryptowährungen

Bei sehr aktiven Anlegern kommt die Frage auf, ob ihre Aktivitäten als private oder als gewerbliche Tätigkeit einzustufen sind. Sowohl das Mining, als auch das Trading mit Kryptowährungen, können gewerbliche Kriterien erfüllen.[132]

7.1.1.1 Handel mit Kryptowährungen

Die Abgrenzung einer gewerblichen von einer vermögensverwaltenden Tätigkeit einer natürlichen Person oder einer Personengesellschaft wird in § 15 Abs. 2 Einkommensteuergesetz (EStG) geregelt. Ungeschriebenes Tatbestandsmerkmal des § 15 Abs. 2 EStG ist, dass die jeweilige Tätigkeit nicht als private Vermögensverwaltung anzusehen sein darf.[133] Eine klare Maßgabe bzgl. der Abgrenzung der privaten Vermögensverwaltung zum gewerblichen Handel im Zusammenhang mit dem Handel mit Kryptowährungen seitens der Finanzverwaltung ist bis jetzt nicht erfolgt.[134]

In Betracht kommt in diesem Zusammenhang die Heranziehung der Abgrenzungsparameter zwischen gewerblichem und vermögensverwaltendem Wertpapierhandel.[135] Demnach ist der fortgesetzte An- und Verkauf von Wertpapieren selbst in erheblichem Umfang und über einen längeren Zeitraum für die Annahme der Gewerblichkeit noch nicht ausreichend, wenn hierdurch noch nicht das übliche Bild des Wertpapierhandels bei Privatleuten aufgegeben wird.[136] Transaktionen, die im

---

[131] So *Krauß/Blöchle*, DStR 2018, 1210, 1211.
[132] Vgl. *Reiter/Nolte*, BB 2018, 1179, 1183.
[133] So H/H/R – *Stapperfend*, § 15 Rn. 1000.
[134] Vgl. *Krauß/Blöchle*, DStR 2018, 1210, 1212.
[135] So *Reiter/Nolte*, BB 2018, 1179, 1183.
[136] BFH, BB 1997, 1092.

Umfeld der Kryptowährungen als gewöhnlich angesehen werden, wie eine direkte Verkaufsorder an einer Kryptowährungsbörse, sollten hier noch erfasst sein.[137] Die analoge Anwendung der Abgrenzungsparameter zwischen gewerblichem und vermögensverwaltendem Wertpapierhandel erscheint als sachgerecht, da sich bzgl. der Gewerblichkeit des Handels mit Kryptowährungen keine entscheidenden Unterschiede zum Handel mit Wertpapieren ergeben. Das typische Spekulieren auf Wertsteigerungen sowie der schnelle und einfache Marktzugang per Internet hinsichtlich der Abwicklung von direkten Investitionen in Kryptowährungen, erlauben die strukturelle Vergleichbarkeit von direkten Investitionen in Kryptowährungen mit einer Investition in Wertpapiere und Rohstoffe. Zwar handelt es sich um verschiedene Finanzprodukte, doch oftmals ist der Handel der Produkte sogar über die gleichen Handelsplattformen möglich.[138]

Private Vermögensverwaltung liegt i. d. R. vor, wenn sich die Betätigung als Nutzung von Vermögen im Sinne einer Fruchtziehung aus zu erhaltenden Substanzwerten darstellt und die Ausnutzung substanzieller Vermögenswerte durch Umschichtung nicht entscheidend in den Vordergrund tritt. Diesbezüglich ist stets auf das Gesamtbild der Tätigkeit abzustellen und die einzelnen Kriterien sind im Zusammenhang zu würdigen.[139] Die Rechtsprechung und die Finanzverwaltung äußern sich im Detail differenzierend nach dem Anlagegegenstand sowie den Modalitäten der jeweiligen Anlageform, wie die Einfachheit und Häufigkeit des Umschlages des jeweiligen Wirtschaftsguts.[140] Dabei muss insbesondere berücksichtigt werden, ob Gewinne nur durch Veräußerungen erzielt werden könnten. Erlaube das Anlageobjekt keine Fruchtziehung, wie z. B. im Falle eines gewerblichen Goldhandels, sei eine hohe Anzahl von An- und Verkäufen relevant.[141] Auch bei Investitionen in Kryptowährungen sollte dieses Kriterium entscheidend sein.[142] Außerdem können der Umfang der Geschäfte, die Umschlaghäufigkeit oder Fremdfinanzierung, die Art der Durchführung der Geschäfte, das Anbieten von Wertpapiergeschäften gegenüber einer breiteren Öffentlichkeit, das Tätigwerden für fremde Rechnung und auch andere Verhaltensweisen, die für die private

---

[137] Vgl. *Reiter/Nolte*, BB 2018, 1179, 1183.
[138] So *Krauß/Blöchle*, DStR 2018, 1210, 1212.
[139] BFH, DStR 2017, 2726; BFH, DStR 2017, 851.
[140] BFH, DStR 2004, 598; BFH, DStR 2017, 851; BMF, DStR 2004, 632; BMF, DStR 2004, 181.
[141] BFH, DStR 2017, 851.
[142] So *Krauß/Blöchle*, DStR 2018, 1210, 1212.

Vermögensverwaltung ungewöhnlich sind, berücksichtigt werden. Eine büromäßige Organisation ist aufgrund des technologischen Fortschritts ein Kriterium von untergeordneter Bedeutung.[143] Fehlt es an einer händlertypischen Organisationsstruktur sind vielmehr auch umfangreiche Handelsaktivitäten mit hoher Umschlagshäufigkeit der Privatsphäre des Anlegers zuzuordnen. Weiterhin kann Gewerblichkeit dann gegeben sein, wenn ein Anleger Investitionen für fremde Rechnung vornimmt oder sich an den breiten Markt wendet.[144]

7.1.1.2 Mining

Durch Mining werden entweder durch Rechenleistung neue Einheiten einer Kryptowährung generiert, oder Transaktionsgebühren erzielt.[145] Für professionell betriebenes Mining bedarf es der Anschaffung einer speziellen Hardwareausstattung im IT-Bereich, erheblicher Rechnerkapazität und geschäftlichen Organisationsstrukturen. Bei Würdigung dieser Faktoren liegen starke Indizien für eine regelmäßig gewerbliche Tätigkeit vor.[146] Hinzutreten muss eine Beteiligung am allgemeinen wirtschaftlichen Verkehr, bei dieser eine Tätigkeit am Markt gegen Entgelt und für Dritte äußerlich erkennbar angeboten wird. Dies wäre bspw. der Fall, wenn selbst geschaffene Kryptowährungen im Rahmen einer eigenen Webpräsenz Dritten angeboten und an diese veräußert würden.[147]

Fraglich ist, wie Cloud-Mining Verträge behandelt werden, bei welchen z. B. für einen bestimmten Geldbetrag eine festgelegte Rechenleistung gemietet und damit eine bestimmte oder mehrere Kryptowährungseinheiten „geschürft" werden können. In diesen Fällen ist fraglich, inwiefern eine selbständige Tätigkeit vorliegt, bzw. es kommt bei der Beurteilung maßgeblich auf die individuellen Vertragsbedingungen an.[148]

Die Voraussetzungen für die Einordung unter der Gewerblichkeit sollte bei einer gewöhnlichen Mining-Tätigkeit auf einer Proof-of-Work basierten Blockchain i. d. R. erfüllt sein, sodass Einkünfte aus Gewerbebetrieb vorliegen. Festzuhalten

---

[143] BFH, DStR 2001, 888; BFH, DStR 2004, 598.
[144] Vgl. *Krauß/Blöchle*, DStR 2018, 1210, 1212.
[145] So *Reiter/Nolte*, BB 2018, 1179, 1183.
[146] Vgl. *Reiter/Nolte*, BB 2018, 1179, 1183.
[147] BFH, BB 2004, 1937.
[148] So *Himmer*, FSBC Working Paper 09/17, S. 7.

ist jedoch trotzdem, dass auch beim Mining von Kryptowährungen nicht pauschal von einer gewerblichen Tätigkeit auszugehen ist. Maßgeblich ist immer der konkrete Einzelfall.[149]

7.1.1.3 Zwischenergebnis

Kryptowährungsgeschäfte können nur unter besonderen und hohen Voraussetzungen zu einem gewerblichen Handel mit Kryptowährungen führen und dieser wird aufgrund der hohen Anforderungen nur in besonderen Fällen anzunehmen sein. Es wird erwartet, dass die Finanzverwaltung sehr restriktiv mit der Annahme eines gewerblichen Handels mit Kryptowährungen umgehen wird und damit einen weitergehenden Betriebsausgabenabzug in Verlustfällen einschränken wird. In Einzelfällen kann eine Abstimmung mit dem Finanzamt im Wege eines Antrags auf Erteilung einer verbindlichen Auskunft nach § 89 Abs. 2 AO empfehlenswert sein, da bislang die Abgrenzungskriterien nicht konkret definiert sind.[150] Im Gegensatz zum Mining sind nur geringe Investitionen in die IT-Infrastruktur und keine umfangreiche Vorbereitung notwendig um mit den Kryptowährungen zu handeln.[151] Bzgl. des Minings liegen jedoch starke Indizien für eine regelmäßig gewerbliche Tätigkeit vor, allerdings ist auch beim Mining von Kryptowährungen nicht pauschal von einer Einstufung als gewerbliche Tätigkeit auszugehen. Sowohl beim Handel, als auch beim Mining von Kryptowährungen muss immer der konkrete Einzelfall geprüft werden.[152]

7.1.2 Direktinvestitionen im Privatbereich

Im privaten Bereich sind insbesondere der Tatbestand des Umtauschs von Euro in eine Kryptowährung und der anschließende Handel mit Kryptowährungen, sowie deren Einsatz als Zahlungsmittel und der Rücktausch in eine konventionelle Währung, sowie der Tatbestand des Minings relevant. Bei den Kryptowährungsgeschäften im Privatbereich kommt nach Literaturmeinungen v. a. eine Besteuerung nach § 23 EStG in Betracht.[153] In diesem Punkt könnte ein entscheidender Unterschied zwischen der Besteuerung der verschiedenen Tokenklassen liegen. Angesichts der

---

[149] Vgl. *Reiter/Nolte*, BB 2018, 1179, 1183.
[150] So *Krauß/Blöchle*, DStR 2018, 1210, 1212.
[151] Vgl. *Reiter/Nolte*, BB 2018, 1179, 1184.
[152] So *Reiter/Nolte*, BB 2018, 1179, 1183.
[153] Vgl. *Krauß/Blöchle*, DStR 2018, 1210, 1211.

Diversität der unzähligen Token wird deutlich, dass eine pauschale Subsumierung aller Geschäfte mit Token unter § 23 EStG nicht zu einem befriedigenden Ergebnis führen wird. Zudem ist höchst fraglich, ob es sich bei Nutzern der Blockchain-Technologie lediglich um eine kleine Randgruppe handelt und demnach eine vereinfachte Subsumierung der Geschäfte mit Token aller Art unter § 23 EStG vertretbar wäre.[154]

7.1.2.1 Besteuerung nach § 20 EStG

Zunächst muss jedoch geklärt werden, ob die aus den Direktinvestitionen in Kryptowährungen im Privatvermögen resultierenden Erträge als Einkünfte aus Kapitalvermögen zu qualifizieren sind. Dies ist aufgrund des Spezialitätsverhältnisses zwischen § 20 EStG und § 23 EStG unerlässlich.[155] Gemäß § 23 Abs. 2 EStG hat die Anwendung des § 20 EStG Vorrang gegenüber der Vorschrift des § 23 EStG.[156] Diese Abgrenzung ist nicht nur bei Direktinvestitionen natürlicher Personen relevant, sondern ist auch bei Beteiligungen an geschlossenen und offenen Fonds entscheidend.[157] Es muss vorerst geprüft werden, ob der Anwendungsbereich des § 20 EStG eröffnet ist.

Die Anwendung des § 20 EStG erfordert die Generierung laufender Einkünfte aus der Nutzungsüberlassung von Kapital- bzw. Geldvermögen oder aus Gesellschaftsanteilen[158], wie sie im Katalog des § 20 Abs. 1, 2 EStG abschließend genannt sind.[159] Diese Voraussetzung ist allerdings bei Kryptowährungen i. d. R. nicht erfüllt, da bei diesen nur punktuell Wertzuwächse oder Verluste bei Transaktionen realisierbar sind.[160] Derivative Finanzinstrumente, die wie hochspekulative Optionen oder Differenz-Kontrakte an die Wertentwicklung der Kryptowährungen gekoppelt sind, wären anders zu beurteilen. § 20 Abs. 2 S. 1 Nr. 4 EStG soll in diesem Fall Besteuerungslücken durch die Umwandlung von Zinseinkünften in steuerfreie Kapitalgewinne verhindern.[161] Dies gilt auch für laufende Erträge, bspw.

---

[154] Vgl. *Himmer/Sandner* (URL), zuletzt abgerufen am 25.08.2018.
[155] Vgl. *Reiter/Nolte*, BB 2018, 1179, 1180.
[156] So Schmidt EStG – *Weber-Grellet*, § 23 Rn. 65 f.
[157] Vgl. *Krauß/Blöchle*, DStR 2018, 1210, 1211.
[158] So *Hakert/Kirschbaum*, DStR 2018, 882.
[159] Vgl. Blümich EStG – *Ratschow*, § 20, Rn. 4.
[160] So *Eckert*, DB 2013, 2110.
[161] Vgl. Schmidt EStG – *Levedag*, § 20, Rn. 144.

Dividenden, aus den mit Gesellschaftsanteilen vergleichbaren „Equity-Token".[162] Der Anwendungsbereich des § 20 EStG ist demnach bei Direktinvestitionen privater Anleger in Kryptowährungen i. d. R. nicht eröffnet.[163]

7.1.2.2 Besteuerung nach § 23 EStG

Die Direktinvestitionen privater Anleger in Kryptowährungen könnten einer Besteuerung nach § 23 EStG unterliegen. Gemäß §§ 22 Nr. 2, 23 Abs. 1 S. 1 Nr. 2 S. 1 EStG ist eine Besteuerung von Veräußerungsgewinnen nur zulässig, wenn Kryptowährungen als andere Wirtschaftsgüter qualifiziert werden können. Wirtschaftsgüter sind alle Wertgegenstände der privaten Vermögenssphäre.[164] Aus Sicht der Finanzverwaltung sind Wirtschaftsgüter Sachen, Rechte oder tatsächliche Zustände, konkrete Möglichkeiten oder Vorteile für den Betrieb, deren Erlangung sich der Kaufmann etwas kosten lässt, die einer besonderen Bewertung zugänglich sind und zumindest mit dem Betrieb übertragen werden können. Ausreichend für steuerliche Zwecke sind auch bloße Möglichkeiten oder konkrete Zustände, sofern ihnen ein eigenständiger Wert im Rechtsverkehr zukommt.[165] Es ist zutreffend, Kryptowährungen als steuerverstrickte, private Vermögensgegenstände einzustufen, da sie im Geschäftsgebrauch als Zahlungsmittel für einen Sach- oder Dienstleistungserwerb akzeptiert werden.[166] Dies folgt auch aus der strukturellen Vergleichbarkeit der Kryptowährungen mit Fremdwährungen oder Devisen, deren Transaktionen ebenfalls von § 23 Abs. 1 S. 1 Nr. 2 S. 1 EStG erfasst werden.[167] Aus steuerlicher Sicht muss jedoch auch hier festgehalten werden, dass zum heutigen Zeitpunkt von der Gesetzgebung noch keine eindeutige Klassifizierung als Wirtschaftsgut vorgenommen werden kann. Das BMF ordnet zwar Bitcoins als eigenständige Wirtschaftsgüter ein[168], was darauf schließen lässt, dass andere Kryptowährungen ähnlich zu behandeln sind, aber eine abschließende allgemeine Klassifizierung von Kryptowährungen zum Wirtschaftsgut ist seitens des BMF noch nicht erfolgt.[169]

---

[162] Ausführlicher zu Equity-Token siehe 2.2.2.
[163] Vgl. *Reiter/Nolte*, BB 2018, 1179, 1180.
[164] So Schmidt EStG – *Weber-Grellet*, § 23 Rn. 27.
[165] Vgl. Schmidt EStG – *Krumm*, § 5 Rn. 304.
[166] BT Druck., 17/14530, S. 40 f.; so auch *Eckert*, DB 2013, 2110; *Böhm/Pesch*, MMR 2014, 76.
[167] BMF-Schreiben v. 18.01.2016 – IV C 1 – S 2252/08/10004 :017, BStBl. I 2016, 85.
[168] Vgl. BT-Drucks., 19/851, S. 1.
[169] So *Himmer*, FSBC Working Paper 09/17, S. 2.

7.1.2.3 Behandlung von Realisationsvorgängen

Die Realisierung von stillen Reserven oder von gegenläufigen Verlusten in Kryptowährungen nach Ablauf der maßgeblichen Haltefrist ist somit steuerverstrickt und mit dem persönlichen Einkommenssteuersatz von max. 45 % zzgl. Solidaritätszuschlag (SolZ) und ggf. Kirchensteuer zu belegen, sofern die jährliche Freigrenze im Kalenderjahr von 600 Euro gemäß § 23 Abs. 3 S. 5 EStG überschritten wird.[170]

7.1.2.4 Steuerpflicht

Die unbeschränkte persönliche Einkommenssteuerpflicht mit dem Welteinkommen ergibt sich bei Anlegern mit Wohnsitz oder gewöhnlichem Aufenthalt im Inland aus § 1 Abs. 1 S. 1 EStG. Private Veräußerungsgeschäfte von Steuerausländern i. S. d. § 22 Nr. 2 EStG sind hingegen mangels Inlandsbezug steuerfrei, da die Vorschrift des § 49 Abs. 1 Nr. 8 EStG eine Besteuerung nur für inländisches Immobilieneigentum oder ähnliche Vorgänge vorsieht. Im Ausland auf den Veräußerungsvorgang anfallende Steuern können in Deutschland angerechnet werden, wenn die Einkünfte hieraus nicht von der Besteuerung freigestellt sind.[171]

7.1.2.5 Anschaffungsvorgänge

Voraussetzung des § 23 EStG ist zunächst die Anschaffung des Wirtschaftsguts. Maßgeblich ist hier der Abschluss des schuldrechtlichen Verpflichtungsgeschäfts.[172] Als Anschaffungsvorgänge kommen der Kauf und das Mining von Kryptowährungen in Betracht. Im Standardfall erwerben Privatanleger Kryptowährungseinheiten über spezialisierte Exchange-Onlinebörsen oder Internetmarktplätze, entweder durch Kauf[173] gegen eine staatliche Währung oder im Tausch[174] für andere Kryptowährungseinheiten. In diesem Fall liegt eine Anschaffung standardmäßig vor.[175] Anschaffungskosten sind alle Aufwendungen zum Erwerb des Wirtschaftsguts.[176] Hierbei handelt es sich üblicherweise um den Erwerbspreis zzgl. Anschaffungsnebenkosten wie Transaktions- oder Markplatzgebühren.[177] Wird der Erwerb fremdfinanziert, können Schuldzinsen als Werbungskosten zumindest bei einer

---

[170] So *Reiter*/Nolte, BB 2018, 1179, 1181.
[171] Vgl. *Reiter*/Nolte, BB 2018, 1179, 1181.
[172] So Schmidt EStG – Weber-Grellet, § 23, Rn. 32.
[173] Vgl. Schmidt EStG – Weber-Grellet, § 23, Rn. 31.
[174] So Schmidt EStG – Weber-Grellet, § 23, Rn. 32.
[175] Vgl. *Reiter/Nolte*, BB 2018, 1179, 1181.
[176] So Schmidt EStG – *Weber-Grellet*, § 23, Rn. 75.
[177] Vgl. *Reiter/Nolte*, BB 2018, 1179, 1181.

Veräußerung innerhalb der maßgeblichen Haltefrist abgezogen werden.[178] Da der Kaufpreis bei Kryptowährungen ausschließlich durch Angebot und Nachfrage bestimmt wird, kann es zu erheblichen Kursunterschieden auf den Kauf-Plattformen kommen.[179] Beim Erwerb gegen eine staatliche Währung lässt sich der Devisenkurs für die Ermittlung der Anschaffungskosten heranziehen. Hingegen ist beim Tausch kein einheitlicher Kurs ermittelbar und der Anleger muss geeignete Dokumente der Tauschbörse im Besteuerungsverfahren vorlegen.[180]

Beim privaten, also dem nur gelegentlich und ohne Gewinnerzielungsabsicht durchgeführten Mining erhalten Nutzer einen Block-Reward für die schnellste Lösung von Rechenaufgaben neben Gebühren. Die Eigenherstellung von Wirtschaftsgütern stellt gemäß § 23 EStG keine Anschaffung dar.[181] Diese Meinung vertritt auch die Finanzverwaltung. Die Finanzverwaltung geht beim privaten Mining von Einkünften aus sonstigen Leistungen gemäß § 22 Nr. 3 EStG aus, die bei Überschreiten der Freigrenze von 256 Euro pro Kalenderjahr mit dem persönlichen Steuersatz belegt werden.[182] Diese Sichtweise kann zumindest für das private Mining nicht überzeugen, da hier lediglich der Zufall im Vordergrund steht und es an einer Leistungsbeziehung zu einer anderen Person fehlt.[183] Diese Auffassung lässt sich jedoch nicht auf Einkünfte aus der Verifizierung von Transaktionen übertragen, da bei diesem Vorgang von den Minern eine Leistung gegenüber den beteiligten Akteuren der entsprechenden Transaktion erbracht wird. Folglich liegen steuerpflichtige sonstige Einkünfte gemäß § 22 Nr. 3 EStG vor, bei denen – im Privatbereich – der persönliche Einkommensteuersatz zur Anwendung gelangt.[184]

Neben den oben beschriebenen im privaten Bereich wohl häufigsten Anschaffungsvorgängen, dem Kauf bzw. Umtausch und dem Mining von Kryptowährungen, treten immer öfter auch spezielle Anschaffungsvorgänge auf, deren steuerrechtliche Einordnung schwerfällt. Insbesondere zu nennen ist in diesem Zusammenhang die

---

[178] Vgl. Schmidt EStG – *Weber-Grellet*, § 23, Rn. 82.
[179] So *Reiter/Nolte*, BB 2018, 1179, 1181 ff.
[180] So *Reiter/Nolte*, BB 2018, 1179, 1181.
[181] Vgl. Blümich EStG – *Glenk/Ratschow*, § 23 Rn. 91 ff.
[182] BT Drucks., 19/370, S. 21.
[183] So *Reiter/Nolte*, BB 2018, 1179, 1181.
[184] Vgl. *Richter/Augel*, FR 2017, 937, 945.

Besteuerung von Kryptowährungen aus einer „Hard Fork" oder aus einem „Airdrop".[185]

Bei einer Hard Fork wird das der Blockchain zugrundeliegende Konsensprinzip durch eine Gruppe von Teilnehmern aufgegeben, da diese zur Weiterentwicklung einer bestehenden Kryptowährung bspw. eine neue Kette von Datensätzen schaffen wollen.[186] Die Anleger erhalten in Höhe ihrer ursprünglichen Anzahl von Kryptowährungseinheiten eine Gutschrift der neu erzeugten Kryptowährungseinheiten.[187] Eine bedeutende Hard Fork fand beim Bitcoin statt. Dieser Hard Fork ging eine lange Diskussion über die Weiterentwicklung der Bitcoin-Blockchain voraus. Eine Minderheit der Bitcoin-Nutzer und Miner erzwang deshalb am 01.08.2017 eine Hard Fork, um ihre eigene Version des Bitcoin ins Leben zu rufen. Mit dieser Abspaltung entstand die Kryptowährung „Bitcoin Cash". Der Steuerpflichtige kommt im Falle einer Hard Fork in eine besondere Situation: Er hat einen meist nicht unerheblichen Zugewinn in seinem Vermögen zu verzeichnen, welchen er jedoch nicht veranlasst hat. Der Zufluss der neuen Wirtschaftsgüter erfolgt automatisch und ohne eine Leistung des Empfängers, allein aufgrund der Tatsache, dass er, wie bspw. bei der Bitcoin Cash Hard Fork, Bitcoin hält.[188] Es wird vertreten, dass die Neueinbuchung mangels fehlendem aktiven Leistungsaustauschs sowie ausbleibenden Vermögensabflusses zu Lasten eines Dritten keine Anschaffung darstellt.[189] Begründen kann man dies über eine analoge Anwendung der Verwaltungsregelungen zum Aktiensplit, bei dem der Bestand an Altaktien vor und nach dem Split gleichbleibt.[190] Dies bedeutet, dass die neuen Kryptowährungseinheiten nicht i. S. d. § 23 EStG angeschafft werden und die bisherigen Coins nicht als veräußert gelten. Als Tag der Anschaffung gilt für alle Einheiten weiterhin der ursprüngliche Erwerbstag der bisherigen Einheiten, deren Anschaffungskosten nach dem Split-Verhältnis auf den Gesamtbestand an neuen und alten Einheiten aufzuteilen sind.[191]

---

[185] Vgl. *Reiter/Nolte*, BB 2018, 1181.
[186] So *Hakert/Kirschbaum*, DStR 2018, 881, 882.
[187] Vgl. *Reiter/Nolte*, BB 2018, 1179, 1182.
[188] So *Hakert/Kirschbaum*, DStR 2018, 881, 882.
[189] Vgl. *Richter/Augel*, FR 2017, 1132 f.; hierzu auch *Hakert/Kirschbaum*, DStR 2018, 882 f.
[190] So *Hakert/Kirschbaum*, DStR 2018, 881, 882.
[191] So *Hakert/Kirschbaum*, DStR 2018, 885.

Der Airdrop ähnelt einer Hard Fork, weil hier Nutzer einer bestehenden Blockchain als Werbemaßnahme oder im Zuge eines ICO zum kostenlosen Bezug von Kryptowährungseinheiten berechtigt sind. So konnten bspw. isländische Staatsangehörige den „Auroracoin" kostenfrei ab Februar 2014 als Alternative zum Bitcoin und unter Angabe ihrer Sozialversicherungsnummer durch einen Airdrop beziehen.[192] Eine steuerbare Anschaffung wird abgelehnt, da der Bezug durch Airdrop mangels Entgeltlichkeit als Schenkung zu werten ist und die neuen Kryptowährungen aus der Eigenherstellung des Initiators stammen.[193] Abgesehen von der Problematik einer wertunabhängigen Pflicht der Beteiligten zur Anzeige der Schenkung an das Finanzamt gemäß § 30 Abs. 1, 2 Erbschaftsteuergesetz (ErbStG) könnte hier die Finanzverwaltung die Verwaltungsgrundsätze zur Besteuerung von ohne Gegenleistung ausgereichten Bonusaktien anwenden, wonach bei ausländischen Initiatoren die Anschaffungskosten und die zusätzlichen Einkünfte aus dem Bezug generell für die Veräußerung mit Null anzusetzen sind.[194]

Bei gewerblich tätigen Anlegern kann weiterhin die Anschaffung durch Überführung von Kryptowährungen aus dem betrieblichen in den privaten Bereich, z. B. durch Depotumbuchung, eine Rolle spielen, da die Entnahmehandlung zu einer Besteuerung der stillen Reserven und gleichzeitig zur Anschaffung mit dem erhöhten Entnahmewert führt.[195]

7.1.2.6 Haltefristen

Eine Besteuerung von Veräußerungsvorgängen im Privatvermögen findet nur statt, wenn die maßgeblichen Haltefristen zwischen Anschaffung und Veräußerung noch nicht abgelaufen sind.[196] Gemäß § 23 Abs. 1 S. 1 Nr. 2 S. 1 EStG beträgt bei anderen Wirtschaftsgütern die reguläre Haltedauer zwischen Anschaffung und Veräußerung ein Jahr, wobei der Abschluss des obligatorischen Rechtsgeschäfts entscheidend ist.[197]

---

[192] Vgl. *Reiter/Nolte*, BB 2018, 1179, 1181.
[193] So *Heuel/Matthey*, nwb 2018, 1049 f.
[194] Vgl. *Reiter/Nolte*, BB 2018, 1179, 1181 f.
[195] So Schmidt EStG – *Weber-Grellet*, § 23 Rn. 33; so auch *Reiter/Nolte,* BB 2018, 1179, 1181.
[196] Vgl. Blümich EStG – *Glenk/Ratschow*, § 23 EStG Rn. 161-164.
[197] So Schmidt EStG – *Weber-Grellet*, § 23, Rn. 21; so auch *Reiter/Nolte,* BB 2018, 1179, 1181.

Die Überlassung von Kryptowährungen gegen Entgelt in Form neuer Kryptowährungseinheiten, sog. „Lending", ist in der Praxis weit verbreitet. Beim Lending werden Kryptowährungseinheiten an andere Nutzer verliehen, welche diese für Margin Trading[198] benötigen. Als Gegenleistung erhält man dafür Zinsen. Die Kryptowährungseinheiten sind für die Dauer des Verleihens nicht verfügbar.[199] Beim Lending kommen lediglich die sonstigen Einkünfte aus sonstigen Leistungen in Betracht, die insbesondere auch die Vermietung von beweglichen Sachen miteinschließen.[200] Werden aus der Kryptowährung sonstige Einkünfte gemäß § 22 Nr. 3 EStG generiert, droht gemäß § 23 Abs. 1 S. 1 Nr. 2 S. 4 EStG aufgrund der Nutzung der Coins als Einkunftsquelle eine Verlängerung der Haltefrist auf zehn Jahre.[201] In der Literatur wird die Meinung vertreten, dass eine teleologische Reduktion dieser Norm auf Fälle, in denen die Einkunftsquelle zweckgerichtet als Erwerbsgrundlage erworben und durch die Einkunftserzielung der Bereich der bloßen Vermögensverwaltung verlassen wird, sachgerecht sei.[202] Diese Ansicht scheint im vorliegenden Fall als sachdienlich.[203] Auch die Finanzverwaltung wendet die verlängerte Haltefrist bei Fremdwährungsguthaben, mit denen Kryptowährungen vergleichbar sind, aufgrund der zwingenden Trennung zwischen Guthaben und verzinslicher Darlehensforderung nicht an.[204] Wichtig ist, dass das Entgelt als nicht angeschafft, sondern zugeflossen i. S. d. § 23 EStG gilt und somit keinem steuerbaren Veräußerungsvorgang zugänglich ist.[205]

7.1.2.7 Gewinnrealisierung

Die rechtsgeschäftliche Übertragung des angeschafften Wirtschaftsguts auf einen Dritten gilt als Veräußerungsvorgang.[206] Die Veräußerung ist jedenfalls bei Verkauf der Kryptowährungseinheiten gegen staatliche Währungen oder beim Tausch gegen andere Kryptowährungseinheiten bei Übergang der wirtschaftlichen Verfügungsmacht ausgeführt.[207] Nach Auffassung der Finanzverwaltung gelten die

---

[198] Ausführlich zum Margin Trading von Kryptowährungen *Lange, Guido* (URL), zuletzt abgerufen am 25.08.2018.

[199] Vgl. *Heuel/Matthey*, nwb 2018, 1041.

[200] So *Himmer*, FSBC Working Paper 09/17, S. 7.

[201] Vgl. *Reiter/Nolte*, BB 2019, 1179, 1182.

[202] So *Heuel/Matthey*, nwb 2018, 1042 f.

[203] Vgl. *Reiter/Nolte*, BB 2019, 1179, 1182.

[204] So LfSt Bayern, BeckVerw. 332490.

[205] Vgl. *Reiter/Nolte*, BB 2019, 1179, 1182.

[206] So Blümich EStG – *Glenk/Ratschow*, § 23 Rn. 121.

[207] Vgl. *Reiter/Nolte*, BB 2018, 1179, 1182.

eingesetzten Kryptowährungseinheiten ebenfalls als veräußert, wenn diese für die Bezahlung anderer Wirtschaftsgüter, z. B. Aktien, eingesetzt werden.[208] Allerdings ist diese Auffassung nicht überzeugend, da der Einsatz von Geld bzw. ähnlichen Zahlungsmitteln die Tauschwirtschaft abschaffen soll.[209] Wird eine Kryptowährungseinheit innerhalb der Haltefrist veräußert, sind die Wertzuwächse in der Einkommensteuererklärung offenzulegen und mit dem individuellen Steuertarif zzgl. Solidaritätszuschlag und ggf. der Kirchsteuer zu versteuern.[210] Die Gewinnermittlung erfolgt durch Abzug der Anschaffungs(neben)- bzw. Veräußerungskosten vom Veräußerungspreis.[211]

Bei zu unterschiedlichen Zeitpunkten angeschafften, gleichartigen Einheiten ist jedoch zu klären, nach welcher Kaufranche sich die Anschaffungskosten bemessen.[212] Eine gesetzliche Regelung, welches Verbrauchsfolgeverfahren anzuwenden ist besteht nicht. Gemäß § 23 Abs. 1 S. 1 Nr. 2 S. 3 EStG muss für Fremdwährungsbeträge die Verwendungsreihenfolge nach der First-in-First-out-Methode (FiFo-Methode) angewandt werden. Die Anwendung der FiFo-Methode erscheint auch bei Kryptowährungen empfehlenswert.[213] Nach überwiegender Auffassung sind die Anschaffungs(neben)kosten der zeitlich am frühesten angeschafften Einheit einer Kryptowährung maßgebend.[214] In analoger Anwendung der Besteuerungsgrundsätze des Kapitalertragsteuerabzugsverfahrens, wäre eine FiFo Berechnung für jedes Konto, bzw. Wallet, gesondert vorzunehmen. Eine solche Handhabung würde auch im digitalen Umfeld steuerindizierte Gestaltungsspielräume ermöglichen. Ein Investor könnte durch gezielte Kontentrennung seine großen, langfristigen Positionen nach einem Jahr steuerfrei veräußern, ohne dass sich kurzfristige kleinere Trades negativ auf den Bestandsschutz auswirken würden.[215] Eine abweichende Einzelbewertung mit dem Argument, dass es sich bei Kryptowährungen gerade nicht um vom Gesetzeswortlaut genannte Währungspositionen handelt,

---

[208] So FinBeh. Hamburg, BeckVerw 351998; hierzu auch *Reiter/Nolte,* BB 2018, 1179, 1182.
[209] Vgl. Blümich EStG – *Glenk/Ratschow*, § 23 Rn. 133.
[210] Vgl. *Reiter/Nolte*, BB 2018, 1179, 1181.
[211] So FinBeh. Hamburg, BeckVerw 351998; hierzu auch *Eckert*, DB 2013, 2110 f.
[212] Vgl. *Reiter/Nolte*, BB 2018, 1179, 1182.
[213] So LfSt Bayern, BeckVerw, 270378.
[214] Vgl. FinBeh. Hamburg, BeckVerw 351998; hierzu auch *Eckert*, DB 2013, 2110 f.
[215] So LfSt Bayern, BeckVerw, 270378.

muss im Rechtsbehelfsverfahren gegenüber der Finanzverwaltung durchgesetzt werden.[216]

7.1.2.8 Berücksichtigung von Veräußerungsverlusten auf privater Ebene

Aufgrund der Kursrückgänge im Frühjahr 2018 mussten einige Anleger hohe Transaktionsverluste hinnehmen. Eine Verrechnung dieser Transaktionsverluste ist gemäß § 23 Abs. 3 S. 7 EStG nur eingeschränkt möglich. Eine Verrechnung ist ausschließlich mit positiven Einkünften aus Veräußerungsgeschäften desselben Kalenderjahrs möglich.[217] Eine Verrechnung mit Gewinnen aus Kapitalvermögen nach § 20 EStG scheidet demnach aus. Weiterhin lässt § 23 Abs. 3 S. 8 EStG einen Verlustvortrag bzw. Verlustrücktrag in der vorgenannten Einkunftsart zu. Im Fall von unrealisierten Verlusten können die Verluste ggf. ins Vorjahr zurückgetragen werden. Verluste aus privaten Veräußerungsgeschäften können mit zu einer Höhe von maximal 1 Mio. Euro mit Gewinnen aus Veräußerungsgeschäften des Vorjahrs verrechnet werden. Darüberhinausgehende, nicht ausgeglichene Verluste können in der Steuererklärung angegeben und in die Folgejahre vorgetragen werden.[218]

7.1.3 Zwischenergebnis zu Direktinvestitionen im Privatbereich

Für private Investoren besteht bzgl. der Besteuerung von Kryptowährungsgeschäften Unsicherheit. Einschlägige Literatur basiert lediglich auf den Antwortschreiben des BMF, nach welchen Bitcoins als eigenständige Wirtschaftsgüter zu klassifizieren sind. Folglich sollen andere Token ähnlich behandelt werden. Folgt man dieser Auffassung, fällt der Handel von Kryptowährungen anders als der Handel von konventionellen Finanzinstrumenten für den Privatmann nicht unter das Abgeltungssteuerregime, sondern unterliegt dem individuellen, progressiven Steuersatz des Steuerpflichtigen. Der einschlägige § 23 EStG sieht eine Spekulationsfrist vor, nach welcher Gewinne nach einjähriger Haltedauer steuerfrei sind. Beim privaten Mining geht die Finanzverwaltung von Einkünften aus sonstigen Leistungen gemäß § 22 Nr. 3 EStG aus, welche bei Überschreiten der Freigrenze von 256 Euro pro Kalenderjahr mit dem persönlichen Steuersatz belegt werden.[219] Diese Sichtweise kann jedoch für das private Mining nicht überzeugen, da beim privaten Mining

---

[216] Vgl. *Richter/Augel*, FR 2017, 948; hierzu auch *Heuel/Matthey*, nwb 2018, 1045.
[217] Vgl. BeckOK EStG – *Trossen*, § 23 Rn. 152.
[218] So *Reiter/Nolte*, BB 2018, 1179, 1182.
[219] Vgl. BT-Drucks., 19/370, S. 21.

lediglich der Zufall im Vordergrund steht und es an einer Leistungsbeziehung zu einer anderen Person fehlt.[220]

7.1.4 Direktinvestitionen im unternehmerischen Bereich

Weiterhin muss geklärt werden, wie die Direktinvestitionen in Kryptowährungen innerhalb des Betriebsvermögens ertragssteuerlich zu behandeln sind.

7.1.4.1 Gewerblichkeit im Bereich von Mining und Handel

Gewinne aus Mining oder dem Handel mit Kryptowährungen können zu Einkünften aus Gewerbebetrieb gemäß §§ 15 EStG, 8 Abs. 2 KStG, 2 Abs. 2 S. 1 GewStG führen. Voraussetzung hierfür ist entweder, dass die Aktivitäten durch eine Körperschaft ausgeführt werden, bei der kraft Rechtsform gewerbliche Einkünfte vorliegen, oder gemäß § 15 Abs. 2 S. 1 EStG eine selbständige nachhaltige Betätigung vorliegt, die mit Gewinnerzielungsabsicht unternommen wird und sich als Beteiligung am allgemeinen wirtschaftlichen Verkehr darstellt.[221]

7.1.4.2 Grundzüge der steuerlichen Behandlung von Kryptowährungsgeschäften im Betriebsvermögen

Werden die Kryptowährungstransaktionen des Steuerpflichtigen als gewerblich gewertet, sind die betroffenen Kryptowährungseinheiten selbst dem Betriebsvermögen des Steuerpflichtigen zuzuordnen.[222] In diesem Zusammenhang entstehen weitere Fragestellungen bzgl. der korrekten Besteuerung der Kryptowährungen.

7.1.4.3 Besteuerung und Bilanzierung von Kryptowährungen im Betriebsvermögen

Werden die Kryptowährungen dem Betriebsvermögen zugeordnet, unterliegen sämtliche positiven und negativen Einkünfte, die durch Mining oder Trading erwirtschaftet werden, der Besteuerung, entweder mit Einkommenssteuer oder Körperschaftssteuer bzw. gemeindeabhängiger Gewerbesteuer zzgl. Solidaritätszuschlag. Der Gewinn muss durch Einnahme-Überschuss-Rechnung nach

---

[220] So *Reiter/Nolte*, BB 2018, 1179, 1181.
[221] Ausführlicher zur Abgrenzung von Gewerblichkeit zur privaten Vermögensverwaltung siehe 7.1.1.
[222] So *Reiter/Nolte*, BB 2018, 1179, 1183.

§ 4 Abs. 3 EStG oder durch Betriebsvermögensvergleich nach § 4 Abs. 1 EStG erfolgen.

Findet eine Gewinnermittlung durch Einnahme-Überschuss-Rechnung gemäß § 4 Abs. 3 EStG statt, sind die erzielten Einnahmen aus den oben genannten Aktivitäten unmittelbar im Zeitpunkt der Entstehung zu erfassen, d. h. bei tatsächlicher Ausführung der Transaktion. Wird der Betriebsvermögensvergleich gemäß § 4 Abs. 1 EStG angewandt, ist betrieblich genutztes Anlagevermögen in der Bilanz zu aktivieren und über die betriebsgewöhnliche Nutzungsdauer abzuschreiben. Als betrieblich genutztes Anlagevermögen kommt insbesondere die genutzte Hardware in Betracht. Als laufende Betriebsausgaben kommen Strom- und Serverkosten, Telekommunikationsgebühren oder Kosten für die Nutzung von Kryptobörsen in Betracht.[223]

Die Kryptowährungseinheiten sind je nach ihrer beabsichtigten betrieblichen Verwendung dem Anlage- oder Umlaufvermögen zuzuordnen.[224] Die angeschafften Kryptowährungseinheiten sind mit ihren Anschaffungs(neben)kosten zu aktivieren.[225] Da sich der angesetzte Wert nicht durch wirtschaftlichen Verbrauch reduziert, kommt eine periodisierte Abschreibung gemäß § 7 Abs. 1 EStG nicht in Betracht. Gemäß § 6 Abs. 1 Nr. 2 EStG ist zum Ende des Veranlagungszeitraums eine Folgebewertung vorzunehmen, d. h. der Ansatz erfolgt höchstens mit den Anschaffungskosten, ggf. mit dem niedrigeren Teilwert. Der Ansatz zum niedrigeren Teilwert kommt insbesondere bei voraussichtlich dauernder Wertminderung in Betracht. Die Annahme einer dauernden Wertminderung erscheint jedoch m. M. n. bei den stark volatilen Kryptowährungen als nicht sachgerecht und ein Ansatz zum niedrigeren Teilwert kommt bei Kryptowährungen demnach nicht in Betracht. Weiterhin ist das Aktivierungsverbot für selbst geschaffene Wirtschaftsgüter des Anlagevermögens nach § 5 Abs. 2 EStG zu beachten: Liegt ein Fall von Mining vor, liegt kein entgeltlicher Erwerb vor und das Aktivierungsverbot gemäß § 5 Abs. 2 EStG greift ein.[226]

---

[223] Vgl. *Reiter/Nolte*, BB 2018, 1179, 1184.
[224] So *Burchert/Böser*, DB 2018, 858.
[225] Vgl. *Richter/Augel*, FR 2017, 943.
[226] So *Reiter/Nolte*, BB 2018, 1179, 1184.

Die ertragssteuerliche Behandlung von Kryptowährungen im Betriebsvermögen scheint bis hierhin weitestgehend klar zu sein. Da betriebliche Anleger grds. nur Einkünfte aus Gewerbebetrieb erzielen, hat für sie die ertragsteuerliche Einordnung von Kryptowährungen nur eine untergeordnete Bedeutung. Im unternehmerischen Umfeld sind insbesondere die Fragestellungen zur Bilanzierung der Kryptowährungseinheiten nach den Grundsätzen ordnungsgemäßer Buchführung in der Handelsbilanz, welche nach dem Maßgeblichkeitsprinzip die Basis der Besteuerung darstellt von Bedeutung. Neben dem Steuerrecht ist ebenfalls die Behandlung nach internationalen Rechnungslegungsstandards wie den IAS/IFRS bedeutend. Die Schwierigkeit liegt hierbei insbesondere in der Bestimmung des Marktwerts, da die Kurse der Kryptowährungen hohen Schwankungen unterliegen.[227]

7.1.5 Aspekte des internationalen Steuerrechts

Schließen sich Netzwerkteilnehmer zur Erhöhung der Chancen auf einen Block-Reward zusammen und kombinieren ihre Hardwarekapazitäten spricht man von Pool- oder auch Cloud-Mining. Beim Cloud-Mining wird i. d. R. Rechenkapazität bei einem Dienstleister angemietet, der diese für Mining-Tätigkeiten verwendet und dem Mieter die Erträge gutschreibt. Da es beim Mieter an einer festen Geschäftseinrichtung mangelt, dürfte Cloud-Mining tendenziell nicht zu einer Betriebsstätte führen.[228] Anders liegt die Sachlage beim Pool-Mining. Beim Pool-Mining schließen sich mehrere Miner über einen zentralen Pool zusammen und leisten anteilig ihren Beitrag an Rechenleistung. Je nach Ausschüttungsverfahren beim jeweiligen Pool erhält jeder Teilnehmer nun ein Stück vom Kuchen. Das Betriebsstättenrisiko beim Pool-Mining dürfte höher sein, als beim Cloud-Mining, da beim Pool-Mining eine Investition in konkrete Hardware vorgenommen werden muss.[229] Bzgl. des Significant-People-Function-Konzept des Authorized Approach der Organisation for Economic Cooperation and Development zur Ermittlung von Betriebsstättengewinnen dürfte einer solchen personallosen Betriebsstätte aber zumindest aus deutscher Sicht kein Gewinn zuzuordnen sein.[230]

---

[227] So *Himmer*, FSBC Working Paper 09/17, S. 8.
[228] Vgl. *Tappe*, IStR 2011, 870, 874.
[229] So *Reiter/Nolte*, BB 2018, 1179, 1184.
[230] BMF-Schreiben v. 22.12.2016 - IV B 5 - S 1341/12/10001-03, BStBl I 2017, 182.

Weiterhin könnte aus deutscher Sicht die Vorschrift des § 50a Abs. 1 Nr. 3 EStG einschlägig sein. Gemäß § 50a Abs. 1 Nr. 3 können bei grenzüberschreitenden Zahlungen regelmäßig Abzugspflichten für Quellensteuern ausgelöst werden. Allerdings handelt es sich bei Kryptowährungen nicht um Rechte und es kommt auch zu keiner zeitlich befristeten Überlassung. Bei Kryptowährungs-Transaktionen mit Auslandsbezug können weiterhin im Ausland andere, lokale Quellensteuern anfallen. In einem solchen Fall muss geprüft werden, ob eine Freistellung oder Anrechnung für deutsche steuerliche Zwecke erfolgen kann.[231]

Bzgl. einer klaren Gesetzgebung zur steuerlichen Behandlung von Kryptowährungen ist Deutschland im internationalen Vergleich Nachzügler. Im Jahr 2014 veröffentlichte die US-Steuerbehörde Internal Revenue Service (IRS) ein Schreiben zur steuerlichen Behandlung von Transaktionen mit Kryptowährungen, dessen Anwendung erst kürzlich nochmals bestätigt wurde.[232] In Österreich liegt bereits seit Juli 2017 ein umfassendes öBMF-Schreiben vor.[233] In der Schweiz liegen ebenfalls von den Kantonen veröffentlichte, vergleichbare Merkblätter vor.[234] Im aktuellen Koalitionsvertrag zwischen CDU/CSU und SPD vom 12.03.2018 sind die Entwicklung einer Blockchain-Strategie und die Setzung eines angemessenen Rechtsrahmens für den Handel mit Kryptowährungen und Token auf internationaler und europäischer Ebene vorgesehen.[235] Darüber hinaus kann erwartet werden, dass zeitnah ein BMF-Schreiben zur Behandlung von Kryptowährungsgeschäften veröffentlicht wird.[236]

7.1.6 Fazit zur ertragssteuerrechtlichen Behandlung von Kryptowährungen im unternehmerischen Bereich

Unternehmen, die mit Kryptowährungen handeln, müssen ihre Gewinne als gewerbliche Einkünfte versteuern. Bei Personengesellschaften unterliegen die Einkünfte der Gewerbe- und Einkommensteuer. Bei Kapitalgesellschaften erfolgt eine Besteuerung mit Körperschaft- und Gewerbesteuer. Erfolgt der Handel oder das Mining von Kryptowährungen als gewerbliche Tätigkeit, unterliegen diese

---

[231] Vgl. *Heuel/Matthey*, nwb 2018, 1038 f.

[232] *Internal Revenue Service* (URL1), zuletzt abgerufen am 25.08.2018; *Internal Revenue Service* (URL2), zuletzt abgerufen am 25.08.2018; hierzu auch *Reiter/Nolte*, BB 2018, 1179, 1185.

[233] *öBMF* (URL), zuletzt abgerufen am 25.08.2018; *Reiter/Nolte*, BB 2018, 1179, 1185.

[234] *Finanzdepartement des Kantons Basel-Stadt* (URL), zuletzt abgerufen am 25.08.2018; hierzu auch *Reiter/Nolte*, BB 2018, 1179, 1185.

[235] *Bundesregierung* (URL), zuletzt abgerufen am 25.08.2018.

[236] Vgl. *Krauß/Blöchle*, DStR 2018, 1210, 1215.

Einkünfte, wie auch die Einkünfte aus Handelsaktivitäten, die bspw. innerhalb einer Kapitalgesellschaft ausgeführt werden, denn allgemeinen Besteuerungsgrundsätzen. Anschließend erfolgt rechtsformabhängig bei Kapitalgesellschaften eine Besteuerung mit Körperschaft- und Gewerbesteuer bzw. bei Personengesellschaften mit Einkommen- und Gewerbesteuer. Außerdem ist eine handels- und steuerbilanzielle Berücksichtigung in Abhängigkeit der Verwendung unter dem Anlage- oder Umlaufvermögen vorzunehmen.[237]

7.2 Ertragssteuerliche Behandlung indirekter Anlageformen

Aufgrund praktischer Schwierigkeiten von Direktinvestitionen wie bestehende Unsicherheiten gegen Hackerangriffe und Trojaner sowie die Auswahl eines geeigneten Wallets kommen vermehrt indirekte Anlageformen wie Derivate, Zertifikate oder Exchange Traded Funds (ETFs) auf den Finanzmarkt, die die Partizipation an der Wertentwicklung von Kryptowährungen ermöglichen.[238]

7.2.1 Derivative Finanzinstrumente

Als Termingeschäfte ausgestaltete, derivative Finanzinstrumente nach § 2 Abs. 3 WpHG, wie Optionen, Futures oder Contracts for Difference (CFDs), können sich auch auf die Wertentwicklung von Kryptowährungen beziehen.[239] Der Differenzausgleich oder einen von der Wertentwicklung einer Kryptowährung abhängigen Geldbetrag oder Vorteil bzw. den Gewinn, den der Anleger durch die Veräußerung eines solchen Finanzinstrumentes erlangt, ist gemäß § 20 Abs. 2 S. 1 Nr. 3 EStG voll steuerpflichtig.[240] Die Gewinne unterliegen gemäß §§ 43 Abs. 1 S. 1 Nr. 11, 43a Abs. 1 S. 3 EStG dem Kapitalertragsteuerabzug i. H. v. 25 % zzgl. Solidaritätszuschlag (SolZ) und werden beim Privatinvestor mit dem Abgeltungssteuersatz i. H. v. 25 % zzgl. SolZ belastet.[241] Gemäß § 44 Abs. 1 S. 3 EStG wird die Kapitalertragssteuer durch die Erträge auszahlende Stelle einbehalten.[242] Gemäß §§ 44 Abs. 1 S. 4 Nr. 1 a EStG handelt es sich bei der Erträge auszahlenden Stelle i. d. R. um das inländische Kredit- oder

---

[237] So *Reiter/Nolte*, BB 2018, 1179, 1183 f.; hierzu auch *Schlund/Pongratz*, DStR 2018, 598; *Krauß/Blöchle*, DStR 2018, 1210, 1215.
[238] Vgl. *Krauß/Blöchle*, DStR 2018, 1210.
[239] So *Krauß/Blöchle*, DStR 2018, 1210, 1213.
[240] Vgl. Blümich EStG – *Ratschow*, § 20 Rn. 350.
[241] So BeckOK EStG – *Haisch*, § 43 Rn. 179 f.; Schmidt EStG – *Weber-Grellet*, § 43a Rn. 1.
[242] Vgl. Blümich EStG – *Lindberg*, § 44 Rn. 5.

Finanzdienstleistungsinstitut.[243] Allerdings werden in der Praxis Geschäfte oft über ausländische Broker und Handelsplattformen durchgeführt, welche keine Kapitalertragsteuer einbehalten und abführen und somit müssen Gewinne und Verluste im Veranlagungsverfahren erklärt und versteuert werden.[244]

Gemäß § 20 Abs. 6 EStG gilt im Verlustfall, dass Verluste aus Kapitalvermögen ausschließlich mit Einkünften aus Kapitalvermögen und nicht mit anderen Einkünften verrechnet oder nach § 10d EStG abgezogen werden dürfen.[245] Nach § 20 Abs. 9 EStG erfolgt der Werbungskostenabzug pauschaliert. Der Abzug darüberhinausgehender, tatsächlicher Werbungskosten ist ausgeschlossen. Beim Privatanleger unterliegt die Verlustverrechnung nicht der Beschränkung gemäß § 15 Abs. 4 S. 3 ff. EStG, wonach Verluste aus Termingeschäften, die auf einen Differenzausgleich in Geld gerichtet sind[246], lediglich mit anderen Einkünften aus Termingeschäften verrechnet werden dürfen. Die Vorschrift zielt nämlich lediglich darauf ab, eine Verlagerung von Verlusten aus Termingeschäften in die betriebliche Sphäre zu verhindern.[247]

Ist das Derivat jedoch auf die Lieferung einer Kryptowährung gerichtet, ergibt sich eine abweichende steuerliche Beurteilung: In diesem Fall ist die Veräußerung der gelieferten Kryptowährung wie bei einer Direktinvestition nach § 23 Abs. 1 S. 1 Nr. 2 EStG zu behandeln. Bspw. bieten einige Börsen Margin-Trading an und erlauben somit eine gehebelte Partizipation an steigenden und fallenden Kursen einer bestimmten Kryptowährung. Die steuerliche Einordnung eines solchen Geschäfts hängt maßgeblich von der Ausgestaltung des individuellen Einzelfalls ab. Wird ein bestimmter Trade bspw. lediglich durch peer-to-peer Darlehen gehebelt, dürften weiterhin die Besteuerungsgrundsätze der privaten Veräußerungsgeschäfte einschlägig sein. Die Zinsen für das Darlehen würden dementsprechend abzugsfähige Werbungskosten darstellen. Wird der Margin Trade hingegen durch ein Investment in einen separierten Future-Kontrakt verwirklicht, stellt dies aus steuerlicher Sicht ein Termingeschäft dar.[248]

---

[243] So Blümich EStG – Lindberg, § 44 Rn. 5-9b.
[244] Vgl. Krauß/Blöchle, DStR 2018, 1210, 1213.
[245] So BeckOK – Schmidt, § 20 Rn. 1382 ff.
[246] BFH, DStR 2016, 2388; H/H/R – Intemann, § 15 Rn. 1545.
[247] Vgl. Kirchhof/Söhn/Mellinghoff EStG – Desens/Blischke, § 15 Rn. I 46.
[248] So Himmer, FSBC Working Paper 09/17, 1, 6.

7.2.2 Zertifikate

Bei Investitionen in strukturierte Zertifikate werden Schuldverschreibungen mit einer Termingeschäftskomponente zu einem einheitlichen Produkt zusammengefasst. In einem Zertifikat werden Kapitalforderungen verkörpert, bei denen die Rückzahlung des überlassenen Kapitals jedenfalls teilweise unsicher ist.[249] Die Kapitalforderungen können auf physische Sachlieferung von Kryptowährungseinheiten oder bloßen Differenzausgleich in Geld zwischen den Vertragsparteien gerichtet sein.[250] Die steuerliche Behandlung der beiden Varianten ist unterschiedlich.[251]

Ist ein Zertifikat auf einen Differenzausgleich in Geld gerichtet, so unterfällt ein Gewinn aus der Veräußerung des Zertifikats § 20 Abs. 2 S. 1 Nr. 7 EStG.[252] Die Kapitalertragsteuer ist gemäß den §§ 43 Abs. 1 S. 1 Nr. 10 und 44 Abs. 1 S. 3 und S. 4 Nr. 1 a EStG einzubehalten, wenn sich die Kapitalerträge auszuzahlende Stelle in Deutschland befindet.[253] Etwaige Verluste aus dem Veräußerungsgeschäft dürfen gemäß § 20 Abs. 6 EStG nur mit anderen Einkünften aus Kapitalvermögen verrechnet werden.[254]

Gewinne aus der Veräußerung von Zertifikaten, die einen Anspruch gegen den Emittenten ausschließlich auf Überlassung von Kryptowährungseinheiten verkörpern und den aktuellen Marktpreis abbilden, sind jedoch nicht von § 20 Abs. 2 S. 1 N. 7 EStG, sondern von § 23 Abs. 1 S. 1 Nr. 2 EStG erfasst.[255] Eine Kapitalforderung liegt in diesen Fällen nicht vor, da sich die Lieferung auf einen Gegenstand, die Einheit Kryptowährung bezieht.[256] Das Einlösen von Zertifikaten in Kryptowährungseinheiten selbst ist kein Veräußerungsvorgang i. S. d. § 23 Abs. 1 S. 1 Nr. 2 EStG, da insofern ein einheitlicher Rechtsvorgang gegeben ist.[257] Die Investition in Schuldverschreibungen, die einen Anspruch auf die

---

[249] Vgl. *Krauß/Blöchle*, DStR 2018, 1210, 1213.

[250] Siehe auch H/H/R – *Intemann*, § 15 Rn. 1552.

[251] So *Krauß/Blöchle*, DStR 2018, 1210, 1213.

[252] Vgl. H/H/R – *Buge*, § 20 Rn. 475.

[253] So Blümich EStG – *Lindberg*, § 43 Rn. 109.

[254] Vgl. BeckOK – *Schmidt*, § 20 Rn. 1382 ff.

[255] BFH, DStR 2018, 562; BFH, DStR 2015, 2007.

[256] So Kirchhof/Söhn/Mellinghoff EStG – *Jochum*, § 20 Rn. C/7 98.

[257] BFH, DStR 2018, 562; FinMin Schleswig-Holstein, DStR 2018, 921.

Lieferung von Kryptowährungseinheiten verkörpern, nach Umtausch steuerlich wie eine Direktinvestition behandelt.[258]

7.3 Gegenüberstellung von direkten und indirekten Investitionen in Kryptowährungen

Die steuerlichen Unterschiede von direkten und indirekten Anlageformen in Kryptowährungen sind vielseitig.[259] Eine Direktinvestition ermöglicht ein steuerfreies Vereinnahmen von Gewinnen nach Ablauf der einjährigen Haltedauer, ansonsten erfolgt die Besteuerung zum individuellen Einkommensteuersatz.[260] Dementsprechend sind auch Verluste nur berücksichtigungsfähig, wenn die Veräußerung innerhalb dieser Haltedauer erfolgt.[261] Hieraus ergeben sich steuerliche Gestaltungsmöglichkeiten.[262] Auch bei umfangreichen und umschlagsintensiven Investitionen wird die Finanzverwaltung dem Vernehmen nach lediglich in Ausnahmefällen eine gewerbliche Tätigkeit annehmen, welche einen weitergehenden Verlustabzug im Betriebsvermögen ermöglicht.[263] Bei anderen indirekten Investitionen unterliegen die Gewinne beim Privatanleger grds. dem Abgeltungssteuersatz, während Verluste von einer Verrechnungsbeschränkung nach § 20 Abs. 6 EStG erfasst sind. Ein Werbungskostenabzug ist nicht zulässig.[264] Ist ein derivatives Finanzinstrument oder Zertifikat ausnahmsweise auf die Lieferung der als Basiswert zugrundeliegenden Kryptowährung gerichtet, können die Regeln zu Direktinvestitionen anwendbar sein. Entscheidend für die steuerliche Vorteilhaftigkeit einer direkten oder indirekten Investition ist insbesondere der Anlegerhorizont. Für kurzfristig ausgerichtete, gewinnorientierte Anleger sind indirekte Investments in Kryptowährungen besser geeignet, da der dann geltende Abgeltungssteuersatz i. d. R. deutlich niedriger liegt als der individuelle Einkommensteuersatz.[265] Allerdings ist im aktuellen Koalitionsvertrag zwischen CDU/CSU und SPD vom 12.03.2018 die Abschaffung der Abgeltungssteuer im Hinblick auf Zinseinkünfte vorgesehen.[266] Es kann nicht ausgeschlossen werden, dass auch andere Erträge, die nicht im Zusammenhang mit

[258] Vgl. *Krauß/Blöchle*, DStR 2018, 1210, 1214.
[259] So *Krauß/Blöchle*, DStR 2018, 1210, 1215.
[260] Vgl. *Hakert/Kirschbaum*, DStR 2018, 881, 883 ff.
[261] So *Krauß/Blöchle*, DStR 2018, 1210, 1215.
[262] Vgl. *Krauß/Blöchle*, DStR 2018, 1210, 1211 f.
[263] So *Richter/Augel*, FR 2017, 937, 946.
[264] Vgl. *Krauß/Blöchle*, DStR 2018, 1213.
[265] Vgl. *Krauß/Blöchle*, DStR 2018, 1210, 1215.
[266] Siehe *Bundesregierung* (URL), S. 69, zuletzt abgerufen am 25.08.2018.

Eigenkapitalinstrumenten stehen, von der der Abgeltungssteuer ausgenommen werden und zum individuellen Einkommensteuersatz herangezogen werden. In diesem Fall wären auch indirekte Anlageformen in Kryptowährungen betroffen, so dass diesbezüglich eine höhere Steuerbelastung eintreten könnte.[267]

7.4 Fazit und Ausblick bzgl. der Ertragsbesteuerung von Investitionen in Kryptowährungen

Da betriebliche Anleger grds. nur Einkünfte aus Gewerbebetrieb erzielen, hat für diese die ertragssteuerliche Einordnung von Kryptowährungen nur eine untergeordnete Bedeutung.[268] Für den Privatmann fallen Kryptowährungen nicht unter das Abgeltungssteuerregime, sondern unterliegen dem individuellen, progressiven Steuersatz des Steuerpflichtigen. Diese Einordnung birgt in der Praxis hohes Risikopotential, da anders als bei der Abgeltungssteuer die steuerpflichtigen Einkünfte selbständig durch den Steuerpflichtigen ermittelt und in der Steuererklärung offengelegt werden. Zudem beziehen sich die bisherigen Aussagen der Finanzverwaltung v. a. auf die Besteuerung von Bitcoin. Die Bitcoin Deutschland AG schätzt zwar, dass 50 Prozent der Investitionssummen deutscher Nutzer in die Kryptowährung Bitcoin geflossen sind, doch die übrigen Investitionen teilen sich auf eine Vielzahl von über 1.000 verschiedenen Kryptowährungen auf.[269] Demnach sollte eine pauschale Übertragung der für Bitcoin bestehenden Besteuerungsleitlinien nicht unreflektiert vorgenommen werden, da sich in diesen Fällen abweichende steuerrechtliche Folgen ergeben könnten. Zum jetzigen Zeitpunkt muss zunächst die Frage nach der Vergleichbarkeit der möglicherweise zu besteuernden Kryptowährung mit dem Bitcoin gestellt werden und der zugrundeliegende Sachverhalt muss detailliert analysiert werden.[270]

Das Blockchain Center der Universität Frankfurt hat sich mit der Frage nach der deutschen Nutzeranzahl beschäftigt und eine erste Einschätzung veröffentlicht. Die Nutzeranzahl kann anhand der Mitglieder einschlägiger Tauschbörsen und dem anteiligen Traffic-Aufkommen konservativ auf etwa 400.000 geschätzt werden. Durch die Kryptowährungen könnte ein zusätzliches Steuersubstrat in beachtlicher

---

[267] Vgl. *Krauß/Blöchle*, DStR 2018, 1210, 1215.
[268] So *Himmer*, FSBC Working Paper 09/17, S. 8.
[269] Siehe auch *Deutscher Bundestag* (URL), zuletzt abgerufen am 25.08.2018.
[270] So *Himmer/Sandner* (URL), zuletzt abgerufen am 25.08.2018.

Höhe entstanden sein. Unabhängig von lex specialis Regelungen bestimmter Einkunftsarten sollten die realisierten Gewinne i. d. R. der Ertragsbesteuerung unterliegen. Auf Grundlage des absoluten Marktkapitalisierungsanstiegs aller Kryptowährungen von ca. 460 Mrd. Euro in 2017, einem nach Traffic geschätzten deutschen Anteil von 3,5 Prozent und der konservativen Annahme, dass lediglich 15 Prozent der Wertsteigerung realisierte steuerpflichtige Einkünfte darstellen, ergibt dies 2,42 Milliarden Euro zusätzliches Steuersubstrat. Legt man diesen Annahmen einen durchschnittlichen Ertragssteuersatz von 30 Prozent zugrunde, würde dies 726 Millionen Euro zusätzliche Steuereinnahmen für das Steuerjahr 2017 bedeuten. Diese zusätzlichen Steuereinnahmen entsprechen etwa einem Prozent des Einkommensteueraufkommens aus 2016. Die Einschätzung des Steueraufkommens zeigt, dass die Blockchain-Technologie das Potential bietet, die Steuereinnahmen von Bund und Ländern zu beflügeln.[271]

Dies ist allerdings nur möglich, wenn die Steuerpflichtigen ihren Offenlegungspflichten nachkommen. In der Praxis bestehen – abgesehen von der undurchsichtigen Rechtslage - weitere Herausforderungen. Viele der Handelsplattformen bieten keine Datenaufbereitung für Steuerzwecke an. Somit ist es für viele Betroffene nur unter erheblichem Aufwand möglich, ihre getätigten Transaktionen für die Finanzbehörden aufzubereiten.[272] Es ist davon auszugehen, dass die Mehrheit der meist jungen IT-affinen Privatinvestoren nicht über fundierte Kenntnisse im Steuerrecht verfügt. Somit besteht für sie das Risiko durch Untätigkeit ungewollt steuerstrafrechtlich relevante Tatbestände zu verwirklichen. Aufgrund der Kurssteigerungen im Jahr 2017 sind bzgl. des Steuerstrafrechts schnell „signifikante" Beträge erreicht. Einige Steuerberatungskanzleien und -gesellschaften bieten bereits spezialisierte Beratungsdienstleistungen für Investoren in Kryptowährungen an. Weiterhin setzen sich etablierte Fachautoren intensiv mit steuerrechtlichen Detailfragen auseinander.[273]

Abgesehen von steuerrechtlichen Gestaltungsüberlegungen ist grds. eine nachvollziehbare Dokumentation und Offenlegung sämtlicher Transaktionen

---

[271] Vgl. *Himmer/Sandner* (URL), zuletzt abgerufen am 25.08.2018.
[272] *Himmer*, FSBC Working Paper 09/17, S. 8; so auch *Velten/Kunz/Ertel* (URL), S. 10, zuletzt abgerufen am 25.08.2018.
[273] So *Himmer/Sandner*(URL), zuletzt abgerufen am 25.08.2018.

empfehlenswert.[274] Durch eine nachvollziehbare Dokumentation und Offenlegung kann eventuellen steuer(straf)rechtlichen Risiken vorgebeugt werden. Fraglich ist, ob die im Internet angebotenen Aufbereitungsformen die gebotene Nachweisqualität erfüllen.[275] Ebenso entstehen Webapplikationen zur Datenverarbeitung und -aufbereitung, welche auch für Steuerzwecke genutzt werden können. Das Münchner Unternehmen Cryptotax bietet bspw. eine zuverlässige und einfache Online-Lösung zur Ermittlung der Besteuerungsgrundlage für Investoren in Kryptowährungen. Die Nutzer der Plattform können in wenigen Schritten die Buchungsdaten verschiedenster Quellen importieren und erhalten abschließend einen dem aktuellen Rechtsstand entsprechenden Steuerreport.[276]

8 Erbschaftsteuerliche Überlegungen

In der Praxis weniger relevant ist bis zum jetzigen Zeitpunkt die Frage zur erbschaftsteuerlichen Behandlung von Kryptowährungen. Dies könnte sich bei vermehrten Investitionen von Anlegern in Kryptowährungen jedoch ändern. Bei einer im Erbfall unentgeltlichen Übertragung, müssen die im Nachlass befindlichen Kryptowährungseinheiten, dem Finanzamt durch die Beteiligten zunächst fristgerecht angezeigt werden. In diesem Fall gilt die Drei-Monats-Frist des § 30 ErbStG ab Kenntniserlangung vom Erwerb an. Es stellt sich vor allem die Frage nach der steuerlichen Bewertung der Kryptowährungen. Die steuerliche Bewertung der Kryptowährungseinheiten nach den gängigen Bewertungsvorschriften für Wertpapiere und andere Kapitalinvestitionen scheidet aus, da hierfür entweder ein staatlich regulierter Handel mit Kursfindung oder die Klassifikation der Kryptowährungen als Kapitalforderung erforderlich ist.[277] Beide Voraussetzungen werden bei Kryptowährungen nicht erfüllt. Auch ein Rückgriff auf die Auffangklausel des § 9 Abs. 1 Bewertungsgesetz (BewG) mit dem Maßstab des gemeinen Werts als fremdüblichem Verkaufspreis im gewöhnlichen Geschäftsverkehr erscheint nicht zielführend, da bei Kryptowährungen aufgrund der technischen Varianten und der Vielzahl der virtuellen Anbieter eine einheitliche Preisbildung ausgeschlossen werden kann. Der Gesetzgeber ist zu einer klärenden Regelung der Bewertungsmethodik aufgerufen.

---

[274] Vgl. *Velten/Kunz/Ertel* (URL), 1, 10, zuletzt abgerufen am 25.08.2018.
[275] So *Himmer/Sandner*(URL), zuletzt abgerufen am 25.08.2018.
[276] Vgl. *Himmer*, FSBC Working Paper 09/17, S. 8.
[277] So *Reiter/Nolte*, BB 2018, 1179, 1183.

Weiterhin besteht Klärungsbedarf bei Kryptowährungen als Teil des steuerlich privilegierten Betriebsvermögens der §§ 13 a, b ErbStG. Es stellt sich die Frage, ob die Kryptowährungseinheiten als begünstigungsschädliches Verwaltungsvermögen zu qualifizieren sind, obwohl sie strukturell weitestgehend keine Vergleichbarkeit mit den hier maßgeblichen Kategorien der Wertpapiere, Forderungen und Finanzmittel aufweisen. Auch auf diese Frage wurde bis jetzt keine gesetzliche Regelung getroffen.[278]

9 Besteuerung von Initial Coin Offerings

Beim ICO bietet der Emittent einen „eigenen", neuen Token Investoren zum Kauf an. ICOs kommen insbesondere zur Finanzierung von Blockchain-bezogenen Projekten in Betracht und haben bereits das Volumen von Venture-Capital-Finanzierungen überholt. Ein ICO bringt eine Vielzahl steuerlicher Implikationen mit sich, welche im Folgenden näher beleuchtet werden sollen. Die steuerliche Behandlung hängt dabei von der Ausgestaltung der Token ab. Die Token können bspw. als „Utility Token" Zugangsrechte für eine Plattform vermitteln oder als „Equity Tokens" beteiligungsähnliche Rechte enthalten.[279]

Abschließend soll mithilfe der bis hierhin dargestellten Grundsätze und Lösungsmöglichkeiten die steuerrechtliche Behandlung der eingangs beschriebenen ICOs dargestellt werden. Während sich die obigen steuerrechtlichen Darstellungen ausschließlich auf die rechtliche Einordnung von Currency Token, also Kryptowährungen beschränkte, soll die Ausführung zum ICO deutlich machen, wie sich die Besteuerung von Token je nach Ausgestaltung der Token unterscheiden kann. Auch bei der steuerrechtlichen Darstellung zum ICO wird im Folgenden zwischen der umsatz- und der ertragsteuerrechtlichen Behandlung differenziert.

9.1 Umsatzsteuerrechtliche Behandlung von Initial Coin Offerings

Aus Sicht des Emittenten muss zunächst geprüft werden, ob ein etwaiger Verkauf der neu geschaffenen Token dem Grunde und der Höhe nach der deutschen Umsatzsteuer unterliegt. Bzgl. dieser Problemstellung kann auf die bisher ergangene

---

[278] Ähnlich *Reiter/Nolte*, BB 2018, 1179, 1183.
[279] *Dietsch*, MwStR 547, 547 ff.

Rechtsprechung des EuGHs sowie auf Stellungnahmen der Finanzverwaltung zurückgegriffen werden. Die von der Rechtsprechung entwickelten Grundsätze zur umsatzsteuerlichen Behandlung der Emission einer Kryptowährung gehen zurück auf die in der Rechtssache Hedqvist vom EuGH entwickelten Grundsätze zurück.[280] Allerdings betreffen diese in ihrer umsatzsteuerlichen Würdigung vornehmlich die Behandlung des Erwerbs von Kryptowährungen.[281] Auch wenn es sich nicht um den Token-Verkauf im Rahmen eines ICO handelt, erscheint die Anwendung dieser umsatzsteuerlichen Grundsätze auch auf den ICO als sachgerecht. Fraglich ist jedoch, wie Token umsatzsteuerlich eingeordnet werden, sofern sie gerade nicht als Zahlungsmittel konzipiert worden sind, sondern wie oben erwähnt im Zuge eins ICO als Utility Token oder Security Token ausgegeben werden.[282]

9.1.1 Umsatzsteuerliche Vorgänge innerhalb eines Token Sale

Voraussetzung für den Erwerb eines Token, der im Rahmen eines ICO ausgegeben wird, ist vorerst, dass der Kaufinteressent über eine Kryptowährung verfügt. Der Kaufinteressent sendet im nächsten Schritt die gewünschte Summe von seinem Wallet zur angegebenen Walletadresse des emittierenden Unternehmens. Die erworbenen Token werden dann in einem bestimmten Wallet gespeichert, so dass ausschließlich der Inhaber Zugriff auf diese hat.

Wird im ersten Schritt eine konventionelle Währung in eine andere Kryptowährung umgetauscht, dann ist dieser Tausch nach Art. 135 Abs. 1 Buchst. e MwStSystRL steuerbefreit. Dies wurde in § 4 Nr. 8 Buchst. d UStG umgesetzt. Wird die erworbene Kryptowährung im nächsten Schritt gegen einen Token eingetauscht, kann dieser Tausch nicht nach Art. 135 Abs. 1 Buchst. e MwStSystRL steuerbefreit sein. Auch wenn der erworbene Token als Kryptowährung und somit als Zahlungsmittel eingestuft werden kann, sind dennoch auf beiden Seiten keine gesetzlichen Zahlungsmittel involviert, die allerdings Voraussetzung für die Steuerbefreiung sind. Entsprechen die erworbenen Token keiner Kryptowährung, dann greift die

---

[280] EuGH, BStBl. II 2018, 211; hierzu ausführlicher *Frase*, BB 2016, 26 ff.; *Schlund/Pongratz*, DStR 2018, 598, 601 f.
[281] So *Liegmann*, BB 2018, 1175.
[282] Vgl. *Krüger/Lampert*, BB 2018, 1154, 1158.

Steuerbefreiung aus Art. 135 Abs. 1 Buchst. e MwStSystRL schon deshalb nicht, da auf keiner der beiden Seiten ein Zahlungsmittel involviert ist.[283]

9.1.2 Umsatzsteuerbarkeit von Utility Token

Der Erwerb eines Utility Token im Rahmen eines ICO hat primär den Zweck, das emittierende Unternehmen mit Kapital zu versorgen, damit Waren oder Dienstleistungen entwickelt werden können, die an späterer Stelle zum Eintausch mit dem Utility Token berechtigen. Man könnte hier bereits an einen unmittelbaren Zusammenhang zwischen Leistung – der Emission des Utility Token – und Gegenleistung – der Zahlung mit Entgelt bzw. Kryptowährung – zweifeln.[284] Der unmittelbare Zusammenhang zwischen Leistung und Gegenleistung liegt i. d. R. vor, wenn ein Rechtsverhältnis, insbesondere ein gegenseitiger Vertrag besteht, in dessen Rahmen gegenseitige Leistungen ausgetauscht werden.[285] An dieser Stelle ist es entscheidend, die einzelnen Leistungsbeziehungen klar voneinander zu trennen. Im Zeitpunkt des Erwerbs des Utility Token, ist die Kapitalversorgung des Unternehmens maßgeblich. Der Erwerber kann allerdings im Zeitpunkt des Erwerbs nicht vorhersehen, ob tatsächlich Waren oder Dienstleistungen mit dem eingeworbenen Kapital produziert bzw. bereitgestellt werden können.[286] Weiterhin spricht gegen die Steuerbarkeit des Erwerbes, dass sonst der Erwerb des Utility Token und das tatsächliche Eintauschen gegen Waren oder Dienstleistungen besteuert werden würde, was einer Doppelbesteuerung entspricht.[287] Die Utility Token könnten die Voraussetzungen von Gutscheinen i. S. d. MwStSystRL erfüllen, so dass deren Erwerb nicht umsatzsteuerbar ist und lediglich der tatsächliche Eintausch gegen Waren oder Dienstleistungen der Umsatzsteuer unterliegen.[288]

9.1.2.1 Gutschein nach Art. 30a Nr. 1 MwStSystRL

Bei Gutscheinen handelt es sich gemäß Art. 30a Nr. 1 MwStSystRL[289] um ein Instrument, bei dem die Verpflichtung besteht, es als Gegenleistung oder Teil einer solchen für eine Lieferung von Gegenständen oder eine Erbringung von

---

[283] So *Dietsch*, MwStR 2018, 250, 254.
[284] So *Grlica* (URL), zuletzt abgerufen am 25.08.2018.
[285] BFH, MwStR 2014, 333.
[286] So *Dietsch*, MwStR 2018, 546, 549.
[287] Vgl. *Grlica* (URL), zuletzt abgerufen am 25.08.2018.
[288] So *Dietsch*, MwStR 2018, 546, 549.
[289] Siehe Anhang 2.

Dienstleistungen anzunehmen und bei dem die zu liefernden Gegenstände oder zu erbringenden Dienstleistungen oder die Identität der möglichen Lieferer oder Dienstleistungserbringer entweder auf dem Instrument selbst oder in damit zusammenhängenden Unterlagen, einschließlich der Bedingungen für die Nutzung dieses Instruments, angegeben sind.[290] Der Emittent eines Utility Token verspricht Waren oder Dienstleistungen hierfür einzutauschen und demnach gibt der Emittent einen Gutschein i. S. d. Art. 30a Nr. 1 MwStSystRL aus.[291]

9.1.2.2 Mehrzweckgutschein nach Art. 30b Abs. 2 MwStSystRL

Weiterhin könnte es sich bei den ausgegeben Token um Mehrzweckgutscheine i. S. d. Art. 30b Abs. 2 MwStSystRL[292] handeln. Gemäß Art. 30b Abs. 2 MwStSystRL ist ein Mehrzweckgutschein ein Gutschein, bei dem der Ort der Lieferung der Gegenstände oder der Erbringung der Dienstleistung, auf die sich der Gutschein bezieht, und die für diese Gegenstände oder Dienstleistungen geschuldete Umsatzsteuer zum Zeitpunkt der Ausstellung des Gutscheins nicht feststehen.

Zum Zeitpunkt des Erwerbs eines Utility Token ist noch unklar, welche konkreten Waren oder Dienstleistungen später für diese eingetauscht werden können. Utility Token könnten somit als Mehrzweckgutscheine behandelt werden. Gemäß Art. 30b Abs. 2 MwStSystRL unterliegt dann erst die tatsächliche Übergabe der Gegenstände oder die tatsächliche Erbringung der Dienstleistung der Umsatzsteuer, für die der Leistende einen Mehrzweckgutschein als Gegenleistung oder Teil einer solchen annimmt. Grds. ist bei Mehrzweckgutscheinen die Art der Leistung zu konkretisieren.[293] Bei der Emission von Utility Token ist jedoch unklar, ob mit diesen überhaupt irgendetwas eingetauscht werden kann, da dies ausschließlich von der Unternehmensentwicklung abhängig ist.[294]

Um eine Doppelbesteuerung auszuschließen, erscheint es sinnvoll, dass der Erwerb eines Utility Token als nicht steuerbar zu behandeln ist.[295] Diese Anwendung entspricht auch dem Telos der MwStSystRL, wonach Inkohärenzen, Wettbewerbsverzerrungen und Doppelbesteuerungen bei der Verwendung von Gutscheinen im

---

[290] Vgl. *Feil/Kupke/Greisl*, BB 2012, 3113 f.
[291] So *Dietsch*, MwStR 2018, 546, 550.
[292] Siehe Anhang 3.
[293] So *Grlica* (URL), zuletzt abgerufen am 25.08.2018.
[294] Vgl. *Dietsch*, MwStR 2018, 546, 550.
[295] So *Grlica* (URL), zuletzt abgerufen am 25.08.2018.

Binnenmarkt vermieden werden soll. Zusätzlich ist das mögliche Scheitern des Unternehmens vergleichbar mit dem normalen Insolvenzrisiko eines Unternehmens. In beiden Fällen verschafft der Erwerber dem Emittenten Liquidität, in beiden Fällen besteht jedoch auch die Gefahr, dass der „Gutschein" später praktisch wertlos ist, entweder weil das Unternehmen nichts entwickeln konnte oder insolvent wurde. Der einzige Unterschied besteht im Verwirklichungszeitpunkt der Risiken. Die genannten Ausführungen sprechen dafür, Utility Token als Mehrzweckgutscheine einzustufen, um eine mögliche unionsrechtliche Ungleichbehandlung zu vermeiden.[296]

Zum selben Ergebnis kommt man auch, wenn man sich vor Augen hält, dass die Utility Token so gestaltet sind, dass im ICO-Zeitpunkt noch kein konkretisierter oder gar fälliger Leistungsanspruch auf eine Ware oder eine Dienstleistung besteht – bspw., weil das zukünftige Produkt erst durch die Einnahmen des ICO entwickelt oder hergestellt werden kann. Somit erfüllt der Utility Token rechtlich im umsatzsteuerlich relevanten Leistungszeitpunkt keine andere Funktion, als die eines Zahlungsmittels, mithin eines Currency Tokens. Den Käufern muss bewusst sein, dass der erworbene Token, obwohl zukünftig eine hinzutretende Utility-Komponente vom Emittenten angestrebt wird, dauerhaft auf die Funktion eines Zahlungsmittels beschränkt bleiben kann. Zieht man diese Betrachtungsweise heran, bleibt kaum Raum für eine divergierende umsatzsteuerliche Behandlung von originären Currency Token und im Leistungszeitpunkt rechtelosen (Utility) Token.[297]

9.1.2.3 Zwischenergebnis

Die Emission von Utility Token ist nicht umsatzsteuerbar, da diese die Voraussetzungen eines Mehrzweckgutscheins i. S. d. Art. 30b MwStSystRL erfüllen oder die Utility Token umsatzsteuerlich bei Emission wie Currency Token behandelt werden.[298] M. M. n. ist die Behandlung der Utility Token als Mehrzweckgutschein i. S. d. Art. 30b Abs. 2 MwStSystRL der bessere Weg, da hier der schon bestehende Art. 30b Abs. 2 MwStSystRL ausgelegt werden kann und sich demnach an schon bestehendem Recht orientiert werden kann. Würden die Utility Token mit den

---

[296] Vgl. *Dietsch*, MwStR 2018, 546, 550.
[297] So *Krüger/Lampert*, BB 2018, 1154, 1159.
[298] Vgl. *Grlica* (URL), zuletzt abgerufen am 25.08.2018.

Currency Token umsatzsteuerrechtlich gleichgestellt wäre zudem eine Klassifizierung der emittierten Token zur besseren steuerrechtlichen Einordnung sinnlos.

9.1.3 Umsatzsteuerbarkeit von Equity Token

Kryptowährungen stellen weder ein Wertpapier dar, das ein Eigentumsrecht an juristischen Personen begründet, noch ein vergleichbares Wertpapier.[299] Fraglich ist, wie Equity Token diesbezüglich umsatzsteuerlich einzuordnen sind, da diese gerade nicht einem vertraglichen Zahlungsmittel in Form einer Kryptowährung entsprechen. Equity Token repräsentieren Stimmrechte oder Geschäftsanteile an den zukünftigen Einnahmen des Emittenten, so dass Token als sonstige Wertpapiere i. S. d. Art. 135 Abs. 1 Buchst. f MwStSystRL eingestuft werden könnten. Insbesondere ist deshalb fraglich, ob diesbezügliche Umsätze steuerbefreit gemäß Art. 135 Abs. 1 Buchst. f MwStSystRL sind und wie die Emission oder das Halten eines Equity Token umsatzsteuerlich eingeordnet werden kann.[300]

9.1.3.1 Steuerfreie Umsätze gemäß Art. 135 Abs. 1 Buchst. f MwStSystRL

Art. 135 Abs. 1 Buchst. f MwStSystRL erfasst insbesondere Umsätze, die sich auf Aktien, Anteile an Gesellschaften und Vereinigungen sowie Schuldverschreibungen beziehen, d. h. auf Wertpapiere, die ein Eigentumsrecht an juristischen Personen begründen sowie auf „sonstige Wertpapiere", die ihrer Art nach mit den in dieser Vorschrift speziell genannten Wertpapieren vergleichbar sein müssen.[301] Die Bezeichnung „sonstiges Wertpapier" ist gesetzlich nicht näher definiert.[302] Allerdings entschied der EuGH in der Rechtssache Granton Advertising, dass sonstige Wertpapiere sich dadurch kennzeichnen, dass sie zumindest den in Art. 135 Abs. 1 Buchst. f MwStSystRL ähneln und der Begünstigte ein Eigentumsrecht gegenüber dem Emittenten, eine Forderung gegen das Unternehmen oder im Übrigen irgendein mit diesen Rechten im Zusammenhang stehendes Recht erwirbt.[303] Equity Token repräsentieren Stimmrechte oder Geschäftsanteile an den künftigen Einnahmen des Emittenten. Der Erwerber des Equity Token wird faktisch gleichgestellt mit einem konventionellen Gesellschafter. Equity Token sind daher

---

[299] EuGH, BStBl. II 2018, 211.
[300] So *Dietsch*, MwStR 2018, 546, 550.
[301] EuGH, MwStR 2015, 930; EuGH, MwStR 2014, 434.
[302] Vgl. *Dietsch*, MwStR 2018, 546, 551.
[303] EuGH, MwStR 2014, 434.

als sonstige Wertpapiere gemäß Art. 135 Abs. 1 Buchst. f MwStSystRL einzustufen, da sie die wesentlichen Eigenschaften eines konventionellen Geschäftsanteiles
erfüllen. Umsätze mit Equity Token stellen demnach einen steuerfreien Umsatz im
Geschäft mit sonstigen Wertpapieren gemäß Art. 135 Abs. 1 Buchst. f MwStSystRL dar, da sonst der Grundsatz der steuerlichen Neutralität zur Verwirklichung der
Wettbewerbsneutralität der Mehrwertsteuer verletzt sein könnte.[304]

9.1.3.2 Keine Steuerbarkeit von Emission und Halten eines Equity Token

Grds. sind das bloße Halten und der Bezug eines Geschäftsanteiles nicht steuerbar.[305] Weiterhin stellte der EuGH klar, dass etwa die bloße Ausgabe von Aktien
keiner wirtschaftlichen Tätigkeit entspreche, da das eingeräumte Eigentumsrecht
am erhöhten Kapital keine Dienstleistung und entsprechend die Zahlung der zur
Kapitalerhöhung erforderlichen Beträge auch keine Gegenleistung darstelle.[306] Das
gleiche muss demnach auch für die Emission und das Halten von Equity Token
gelten, da sie wie oben ausgeführt, zumindest einem sonstigen Wertpapier entsprechen.[307] Deshalb gilt gemäß des allgemeinen Gleichbehandlungsgebotes des
Art. 20 der Charta der Grundrechte, dass die Emission und das Halten eines Equity
Token für umsatzsteuerliche Zwecke nicht steuerbar sind.[308]

9.1.4 Debt Token

Debt Token gleichen im Wesentlichen einer Anleihe.[309] Der Erwerb eines Debt Token, gleicht einem kurzfristigen Kredit zugunsten des Emittenten, wobei der Erwerber einen Anspruch auf einen festen oder variablen Zins für eine bestimmte Zeit
erhält.[310] Grds. sind die Ausführungen zu Equity Token auch auf Debt Token über-
tragbar, da Anleihen nach richtlinienkonformer Auslegung ebenfalls Wertpapiere
i. S. d. Art. 135 Abs. 1 Buchst. f MwStSystRL sind.[311] Im Hinblick auf die Wertpa-
piereigenschaft wird demnach nicht zwischen Anleihen und Geschäftsanteilen

---

[304] EuGH, DStRE 2003, 1411; EuGH, DStRE 2008, 898, 901; EuGH, MwStR 2013, 276, 277; so
auch *Dietsch*, MwStR 2018, 546, 550.
[305] EuGH, DStRE 2004, 1095; EuGH, MwStR 2015, 583; so auch BeckOK UStG – *Hahn*, § 4 Nr.
8 Rn. 74.
[306] EuGH, DStR 2005, 965.
[307] Vgl. *Bal* (URL), zuletzt abgerufen am 25.08.2018.
[308] EuGH, MwStR 2015, 583-589.
[309] Vgl. Dietsch, MwStR 2018, 546, 550.
[310] So *Grlica* (URL), zuletzt abgerufen am 25.08.2017.
[311] BFH, DStR 2010, 1838.

differenziert.[312] Deshalb kommt der originären Begebung von Anleihen ebenso wenig ein Leistungscharakter zu wie der erstmaligen Ausgabe von Aktien. Die Ausgabe von Anleihen ist somit bereits nicht steuerbar, weshalb sich die Frage nach einer Steuerfreiheit gemäß Art. 135 Abs. 1 Buchst. f MwStSystRL diesbezüglich nicht stellt.[313]

9.1.5 Zwischenergebnis zur umsatzsteuerrechtlichen Behandlung des ICOs

Bei der umsatzsteuerlichen Behandlung ist es enorm wichtig den Token in eine der Token-Klassen einzuordnen. Anschließend kann die steuerrechtliche Einordnung erfolgen. Allerdings besteht abgesehen von der umsatzsteuerlichen Behandlung von Currency Token keine Rechtssicherheit und sämtliche Ausführungen basieren auf Literaturmeinungen. Die Token können verschiedenartig ausgestaltet sein und dadurch weit über die gegenwärtige Rechtsprechung und Verwaltungsauffassung bzgl. reiner Kryptowährungen reichen.[314]

9.2 Ertragsteuerrechtliche Behandlung von ICOs

Neben der umsatzsteuerlichen Behandlung des Token-Verkaufs, kommt der ertragsteuerlichen Behandlung des ICO-Erlöses auf Seite des Emittenten eine erhebliche Bedeutung zu. Der etwaige steuerbare Veräußerungserlös ist dabei v. a. unter Berücksichtigung des Umstandes zu werten, dass die Emittenten einen ICO i. d. R. als Finanzierungsinstrument für zukünftige Entwicklungs- bzw. Herstellungskosten nutzen und den Erlös mithin nicht unmittelbar im Anschluss an den ICO vollständig aufbrauchen, sondern über einen längeren Zeitraum kontinuierlich zur eigenen Finanzierung verwenden werden.[315]

9.2.1 ICO-Token als selbstgeschaffene immaterielle Wirtschaftsgüter

Werden die Token von einem bilanzierenden Käufer, etwa von einer Handelsplattform oder im Rahmen des ICO unmittelbar von einem Emittenten erworben, so sind diese Token, abhängig davon, ob sie dauerhaft dem Geschäftsbetrieb des Käufers sollen, entweder unter dem Posten Erworbene immaterielle Vermögensgegenstände des Anlagevermögens gemäß § 266 Abs. 2 A. I. Handelsgesetzbuch (HGB) oder

---

[312] Vgl. *Dietsch*, MwStR 2018, 546, 551.
[313] BFH, DStR 2010, 1838.
[314] Vgl. *Dietsch*, MwStR 2018, 546, 551.
[315] So *Krüger/Lampert*, BB 2018, 1154, 1160.

gemäß § 266 Abs. 2 B. II. Nr. 4 HGB als Sonstige Vermögensgegenstände des Umlaufvermögens jeweils mit ihren Anschaffungskosten zu aktivieren.[316]

Werden die auszugebenden Token vom Emittent selbst geschaffen, handelt es sich hierbei regelmäßig um selbstgeschaffene immaterielle Wirtschaftsgüter, die in erster Linie dauerhaft dem Geschäftsbetrieb des Käufers dienen sollen und im Anlagevermögen auszuweisen sind. Jedoch ist zum Zeitpunkt der Token-Erschaffung oftmals noch nicht klar, ob und in welchem Umfang die Token tatsächlich zur Veräußerung bestimmt sind oder vielmehr der Verbreitung und Funktionsfähigkeit der geschaffenen Blockchain und ihrer Anwendung dienen sollen.[317]

Allerdings darf gemäß § 5 Abs. 2 EStG ein entsprechender Aktivposten für diese immateriellen Wirtschaftsgüter des Anlagevermögens nur im Falle eines entgeltlichen Erwerbs gebildet werden, der in diesem Fall nicht vorliegt. Im Veräußerungszeitpunkt der Token kommt es damit auf Ebene der Steuerbilanz des Emittenten zu einem Ertrag, dem kein ergebnismindernder Bilanzposten gegenübersteht. Abzüglich der Anschaffungskosten entsteht steuerbilanziell regelmäßig ein Gewinn beim Emittenten durch das ICO. Die Anschaffungskosten wie Strom- und Energiekosten sind oftmals vernachlässigbar, da diese i. d. R. im Falle des ICOs deutlich niedriger liegen, als bei der Herstellung etwa von Bitcoin durch energieaufwändiges Mining. Der Gewinn aus dem ICO unterliegt, soweit der Emittent aus der Rechtsform einer Kapitalgesellschaft heraus agiert, auf dessen Ebene der regulären Körperschaft- und Gewerbesteuer von ca. 30%. Im Rahmen des ICO werden dem Emittenten von einer Vielzahl an Kapitalgebern zum Teil erhebliche Mittel zur Verfügung gestellt. Zudem bestehen bzgl. des ICOs zahlreiche rechtliche Unsicherheiten, auch im Hinblick auf die Haftung des Emittenten. Angesichts dieser Umstände ist zu empfehlen, dass die Ausgabe der Token über eine Kapitalgesellschaft erfolgt. Denkbar erscheint auch eine GmbH & Co. KG oder eine eingetragene Genossenschaft.[318]

---

[316] Vgl. *Kirsch/von Wieding*, BB 2017, 2731, 2735; *Schlund/Pongratz*, DStR 2018, 598, 603.
[317] So *Kirsch/von Wieding*, BB 2017, 2731, 2735; *Schlund/Pongratz*, DStR 2018, 598, 603.
[318] *Krüger/Lampert*, BB 2018, 1154, 1159.

9.2.2 Passivposten des Emittenten

Der Anreiz eines ICO liegt für den Emittenten regelmäßig darin, den Token-Verkauf als Finanzierungsinstrument für zukünftige Entwicklungs- und Herstellungskosten nutzen zu können. Nach obiger Darstellung unterliegt dieser Gewinn nun jedoch in voller Höhe der Körperschaft- und Gewerbesteuer von ca. 30 %. Die nutzbare Finanzierungssumme wird somit erheblich geschmälert. Die Steuerlast könnte durch eine steuerliche Geltendmachung des Emittenten von gewinnmindernden Positionen gesenkt werden. Relevant ist demnach insbesondere die Frage, ob dem ICO-Erlös ein gewinnmindernder Bilanzposten gegenüberstehen kann. Wichtig ist weiterhin die Unterscheidung der ertragssteuerlichen Implikationen nach den einzelnen Token-Klassen.[319]

Bzgl. der Ausgabe von Currency Token dürfte die Bewertung eindeutig sein. Da die Currency Token ihrem Wesen nach weder im Zeitpunkt des ICO noch zukünftig Ansprüche gegen den Emittenten begründen, kann dieser auch keine entsprechenden Verbindlichkeiten passivieren. Der realisierte ICO-Erlös wird demnach in voller Höhe der Besteuerung unterworfen.[320]

Schwieriger zu beurteilen ist der Fall der Ausgabe von Utility- oder Security Token. Eine Passivierung von Verbindlichkeiten oder Rückstellungen kommt für entsprechende Forderungen der Token-Käufer auf Grundlage abgegebener Leistungsversprechen in Betracht. Voraussetzung hierfür ist, dass sich der Emittent bereits im Zeitpunkt des Token-Verkaufs einer rechtlichen Verpflichtung gegenüber dem Käufer unterworfen hat, die auf Emittenten-Ebene zu einer hieraus resultierenden Vermögensminderung führt.[321] In diesem Zusammenhang sind insbesondere Konstellationen denkbar, in denen die emittierten Token einen konkreten, bereits im Zeitpunkt des ICO definierten und fälligen Anspruch begründen. Existiert zum Zeitpunkt des ICO kein solcher Anspruch und entsteht auch nicht nachträglich zwischen dem ICO und dem jeweiligen Bilanzstichtag, erzielt der Emittent einen außerordentlichen Ertrag, der mit ca. 30 % steuerlich belastet wird. Demnach

---

[319] So *Krüger/Lampert*, BB 2018, 1154, 1160.
[320] Vgl. *Krüger/Lampert*, BB 2018, 1154, 1160.
[321] So Beck'scher Bilanz-Kommentar – *Schmidt/Ries*, § 246 HGB Rn. 53.

entspricht die ertragssteuerliche Behandlung von Token ohne Leistungsversprechen der Behandlung von Currency Token.[322]

9.2.3 Fazit zur ertragssteuerrechtlichen Behandlung des ICO

Aus steuerrechtlicher Sicht stellt die Ausgestaltung der durch den Token auf den
Erwerber übertragenen Rechte die zentrale Vorfrage im Rahmen eines ICO dar. Die
Unterscheidung der verschiedenen Token-Klassen kann hier eine erste Indikation
für die rechtliche Einordnung des emittierten Tokens bieten und muss im Vorfeld
des ICO geklärt werden.[323]

Bei Heranziehung einer teleologischen Auslegung der Gesetze zur Ertragsbesteuerung, sollte auf Ebene des Emittenten kein steuerpflichtiger Ertrag aus dem ICO
resultieren, wenn mit dem Erwerb der Coins durch den Anleger ein klar definierter
und gleichwertiger Gegenleistungsanspruch des Emittenten einhergeht. Mangelt es
an einem Gegenleistungsanspruch, wie es bei Currency Token der Fall ist, besteht
fallbezogen das Risiko eines steuerpflichtigen Ertrags. Da eine klare ertragssteuerliche Regulierung durch den Gesetzgeber nicht vorhanden ist, sind die ertragssteuerlichen Konsequenzen im Einzelfall zu prüfen. Für den Gesetzgeber besteht in dieser Hinsicht dringender Handlungsbedarf, um bzgl. der ertragssteuerlichen Behandlung von ICOs beim Emittenten Klarheit zu schaffen, um die Attraktivität Deutsch-
lands als ICO-Standort zu erhöhen und eine Abwanderung von ICO-Transaktionen
in Länder zu vermeiden, die eine Vermeidung der Besteuerung bei gleichzeitig ge-
ringem Investorenschutz ermöglichen.[324]

10 Fazit und Ausblick

Dank des Kursanstiegs des Bitcoins hat es die Blockchaintechnologie und die Kryptowährungen ins Blickfeld der breiten Öffentlichkeit und der Privatanleger ge-
schafft. Auch ein modernes Unternehmen muss hinterfragen, ob der Einstieg in
Kryptowährungen ggf. sogar aus zwingenden Gründen erfolgen muss, um mit dem
digitalen Wandel Schritt halten zu können. Abgesehen von den – nicht nur steuerrechtlichen – Herausforderungen bieten die Kryptowährungen für Unternehmen

---

[322] Vgl. *Krüger/Lampert*, BB 2018, 1154, 1160.
[323] So *Krüger/Lampert*, BB 2018, 1154, 1158 ff.
[324] Vgl. *Reiter/Nolte*, BB 2018, 1179, 1184.

auch große Chancen. Neben möglichen Gewinnen aus dem Handel mit Kryptowäh-rungen und spekulativen Kurswetten lassen sich mit der Auflegung einer eigenen Kryptowährung oder der Ausgabe von Token im Zuge eines ICOs neue Finanzie-rungsquellen erschließen.[325]

Zivilrechtlich muss insbesondere die Rechtsnatur der Kryptowährungen vom Ge-setzgeber klargestellt werden, da diese für die gesamte zivilrechtliche Einordnung der Kryptowährungen entscheidend ist. Die Diskussion um die „Kollision von Blockchain und Zivilrecht" ist überflüssig, da durch „Reverse Transaction" die „fal-schen" Transaktionen rückgängig gemacht werden können und die Blockchain wei-terhin transparent die Transaktionshistorie wiedergibt. Diese Transparenz ist ein entscheidender Vorteil der Blockchaintechnologie, welcher auch durch „Reverse Transactions" erhalten bleibt.[326]

Aus finanzmarktregulatorischer Sicht gibt es bereits eindeutige Aussagen der zu-ständigen Behörden bzgl. der rechtlichen Einordnung von Kryptowährungen. Die BaFin qualifiziert diese als Rechnungseinheiten gemäß § 1 Abs. 11 S. 1 KWG und damit einheitlich als Finanzinstrumente.[327] Betrachtet man Token aus steuerrechtli-cher Sicht, kann leider noch keine eindeutige Klassifizierung vorgenommen wer-den. Das BMF ordnet Bitcoins als eigenständige Wirtschaftsgüter ein, was nach Literaturmeinungen darauf schließen lässt, dass andere Token ähnlich zu behandeln sind.[328] Auf dieser Meinung fußen die Ausführungen der Literatur zur Ertragsbe-steuerung und eine Festigung dieser Annahme des BMF wäre wünschenswert um die ertragssteuerlichen Theorien zur Besteuerung der Literatur zu festigen.[329]

Nachdem sich der EuGH klar für die Umsatzsteuerfreiheit von Geschäften mit Kryptowährungen ausgesprochen hat, besteht innerhalb der EU im Rahmen der Umsatzsteuer Klarheit über die umsatzsteuerliche Behandlung von grundlegenden Kryptowährungsgeschäften. Diese Entscheidung wurde jedoch nicht auf einer ei-genständigen Rechtseinordnung der Kryptowährungen durch den EuGH begründet, sondern ist vielmehr Ergebnis der teleologischen Auslegung der MwStSystRL. Die

---

[325] *Velten/Kunz/Ertel* (URL), zuletzt abgerufen am 25.08.2018.
[326] Ausführlicher hierzu siehe 4.2.
[327] Siehe *BaFin* (URL4), zuletzt abgerufen am 25.08.2018.
[328] Vgl. *Reiter/Nolte*, BB 2018, 1179, 1183; so auch *Krauß/Blöchle*, DStR 2018, 1210, 1211.
[329] So *Burchert/Böser*, DB 2018, 857.

umsatzsteuerliche Behandlung von Geschäften mit Token, die nicht Currency Token sind, gestaltet sich weiterhin kompliziert und eine klare Einordnung der verschiedenen Token Klassen seitens des Gesetzgebers muss erfolgen um bspw. die umsatzsteuerliche Behandlung von Token i. R. eines ICO endgültig zu klären.[330] Größere Unsicherheit herrscht hinsichtlich des Ertragsteuerrechts. Zieht man die bestehenden Literaturmeinungen zur Hilfe, scheinen die einfachen Tatbestände von Trading und Mining von Kryptowährungen mit dem bestehenden Ertragsteuerrecht lösbar zu sein. Es ist jedoch klar, dass angesichts der vielen Sonderfälle im Kryptowährungsumfeld, bspw. die Besteuerung von Kryptowährungen aus einer Hardfork, Airdrop oder auch dem ICO die Komplexität enorm zunimmt. Die aktuellsten Entwicklungen rund um die Kryptowährungen müssen den Gesetzgeber zur Schaffung von zusätzlichen, speziellen Rahmenbedingungen bzgl. des Besteuerungsverfahrens von Kryptowährungen veranlassen um für Privatpersonen und Unternehmen Rechtssicherheit zu schaffen.[331] Noch komplexer wird es, wenn man die ertragssteuerrechtliche Behandlung von Token, die nicht Currency Token sind, betrachtet. Diese Sonderfälle sind mit bestehendem Steuerrecht kaum mehr zu lösen und eine Subsumption der Geschäfte mit Token aller Art unter § 23 EStG erscheint angesichts der Diversität der Token als nicht sachgerecht. Die Komplexität der steuerrechtlichen Behandlung der verschiedenen Token-Klassen dürfte dem Leser bei den Ausführungen zum ICO deutlich geworden sein. Was auch hier fehlt und dringend benötigt wird, ist ein Rahmenwerk zur Einordnung der verschiedenen Token in den bestehenden Regelungsapparat, so wie es bereits für Finanzinstrumente besteht.[332]

Es besteht weiterhin dringender Handlungsbedarf bzgl. des regulatorischen Aspektes auf Seiten der Plattformbetreiber zur Datenaufbereitung für Steuerzwecke. Nur so kann sich zukünftig der Staat die Steuereinnahmen sichern und Klarheit für rund 400.000 IT-affine Anleger schaffen, die ansonsten möglicherweise steuerstrafrechtlich relevante Tatbestände teils sogar unbewusst erfüllen.[333]

---

[330] *Dietsch*, MwStR 2018, 546, 549 ff.
[331] *Himmer*, FSBC Working Paper 07/17, S. 9.
[332] *Himmer*, FSBC Working Paper 07/17, S. 9.
[333] *Himmer/Sandner* (URL), zuletzt abgerufen am 25.08.2018.

Betrachtet man die nicht nur steuerrechtlichen Fragestellungen, die sich durch die Kryptowährungen ergeben, wird deutlich, dass v. a. die Subsumption von disruptiven Geschäftsmodellen unter bestehende Rechtsnormen eine große Herausforderung für die heutige juristische Praxis darstellt. Der EuGH hat im „Hedqvist-Urteil"[334] eine solche Subsumption am Beispiel der MwStSystRL und mit Heranziehung der teleologischen Auslegungsmethode in eindrucksvoller Art und Weise durchgeführt und somit im Bereich der Umsatzbesteuerung von Kryptowährungen für Rechtssicherheit gesorgt. Ein solches Vorgehen in Verbindung mit der Schaffung neuer Regelungen bzgl. der Behandlung von verschiedenen Token Klassen der nationalen Gesetzgebung ist auch in anderen Rechtsgebieten wünschenswert, um die Blockchaintechnologie als möglichen Innovationsmotor in Deutschland nutzen zu können und um diesbezüglich endlich für Rechtssicherheit für Unternehmer und Verbraucher zu sorgen.[335]

---

[334] EuGH, BStBl. II 2018, 211.
[335] *Omlor*, ZRP 2018, 85, 89.

Anhangsverzeichnis

Anhang 1:   Art. 2 MwStSystRL...59

Anhang 2:   Art. 30a MwStSystRL..61

Anhang 3:   Art. 30b MwStSystRL..62

Anhang 4:   Art. 135 MwStSystRL..63

Anhang 1:   Art. 2 MwStSystRL

(1) Der Mehrwertsteuer unterliegen folgende Umsätze:

a) Lieferungen von Gegenständen, die ein Steuerpflichtiger als solcher im Gebiet eines Mitgliedstaats gegen Entgelt tätigt;

b) der innergemeinschaftliche Erwerb von Gegenständen im Gebiet eines Mitgliedstaats gegen Entgelt

> i) durch einen Steuerpflichtigen, der als solcher handelt, oder durch eine nichtsteuerpflichtige juristische Person, wenn der Verkäufer ein Steuerpflichtiger ist, der als solcher handelt, für den die Mehrwertsteuerbefreiung für Kleinunternehmen gemäß den Artikeln 282 bis 292 nicht gilt und der nicht unter Artikel 33 oder 36 fällt;

> ii) wenn der betreffende Gegenstand ein neues Fahrzeug ist, durch einen Steuerpflichtigen oder eine nichtsteuerpflichtige juristische Person, deren übrige Erwerbe gemäß Artikel 3 Absatz 1 nicht der Mehrwertsteuer unterliegen, oder durch jede andere nichtsteuerpflichtige Person;

> iii) wenn die betreffenden Gegenstände verbrauchsteuerpflichtige Waren sind, bei denen die Verbrauchsteuer nach der Richtlinie 92/12/EWG im Gebiet des Mitgliedstaats entsteht, durch einen Steuerpflichtigen oder eine nichtsteuerpflichtige juristische Person, deren übrige Erwerbe gemäß Artikel 3 Absatz 1 nicht der Mehrwertsteuer unterliegen;

c) Dienstleistungen, die ein Steuerpflichtiger als solcher im Gebiet eines Mitgliedstaats gegen Entgelt erbringt;

d) die Einfuhr von Gegenständen.

(2) a) Für Zwecke des Absatzes 1 Buchstabe b Ziffer ii gelten als „Fahrzeug" folgende Fahrzeuge zur Personen- oder Güterbeförderung:

i) motorbetriebene Landfahrzeuge mit einem Hubraum von mehr als 48 Kubikzentimetern oder einer Leistung von mehr als 7,2 Kilowatt;

ii) Wasserfahrzeuge mit einer Länge von mehr als 7,5 Metern, ausgenommen Wasserfahrzeuge, die auf hoher See im entgeltlichen Passagierverkehr, zur Ausübung einer Handelstätigkeit, für gewerbliche Zwecke oder zur Fischerei eingesetzt werden, Bergungs- und Rettungsschiffe auf See sowie Küstenfischereifahrzeuge;

iii) Luftfahrzeuge mit einem Gesamtgewicht beim Aufstieg von mehr als 1 550 Kilogramm, ausgenommen Luftfahrzeuge, die von Luftfahrtgesellschaften eingesetzt werden, die hauptsächlich im entgeltlichen internationalen Verkehr tätig sind.

b) Diese Fahrzeuge gelten in folgenden Fällen als „neu":

i) motorbetriebene Landfahrzeuge: wenn die Lieferung innerhalb von sechs Monaten nach der ersten Inbetriebnahme erfolgt oder wenn das Fahrzeug höchstens 6.000 Kilometer zurückgelegt hat;

ii) Wasserfahrzeuge: wenn die Lieferung innerhalb von drei Monten nach der ersten Inbetriebnahme erfolgt oder wenn das Fahrzeug höchstens 100 Stunden zu Wasser zurückgelegt hat;

iii) Luftfahrzeuge: wenn die Lieferung innerhalb von drei Monaten nach der ersten Inbetriebnahme erfolgt oder wenn das Fahrzeug höchstens 40 Stunden in der Luft zurückgelegt hat.

c) Die Mitgliedstaaten legen fest, unter welchen Voraussetzungen die in Buchstabe b genannten Angaben als gegeben gelten.

(3) Als ‚verbrauchsteuerpflichtige Waren' gelten Energieerzeugnisse, Alkohol und alkoholische Getränke sowie Tabakwaren, jeweils im Sinne der geltenden Gemeinschaftsvorschriften, nicht jedoch Gas, das über ein Erdgasnetz im Gebiet der Gemeinschaft oder jedes an ein solches Netz angeschlossene Netz geliefert wird.

Anhang 2: Art. 30a MwStSystRl

Für die Zwecke dieser Richtlinie gelten folgende Begriffsbestimmungen:

1. „Gutschein" ist ein Instrument, bei dem die Verpflichtung besteht, es als Gegenleistung oder Teil einer solchen für eine Lieferung von Gegenständen oder eine Erbringung von Dienstleistungen anzunehmen und bei dem die zu liefernden Gegenstände oder zu erbringenden Dienstleistungen oder die Identität der möglichen Lieferer oder Dienstleistungserbringer entweder auf dem Instrument selbst oder in damit zusammenhängenden Unterlagen, einschließlich der Bedingungen für die Nutzung dieses Instruments, angegeben sind;

2. „Einzweck-Gutschein" ist ein Gutschein, bei dem der Ort der Lieferung der Gegenstände oder der Erbringung der Dienstleistungen, auf die sich der Gutschein bezieht, und die für diese Gegenstände oder Dienstleistungen geschuldete Mehrwertsteuer zum Zeitpunkt der Ausstellung des Gutscheins feststehen;

3. „Mehrzweck-Gutschein" ist ein Gutschein, bei dem es sich nicht um einen Einzweck-Gutschein handelt.

Anhang 3: Art. 30b MwStSystRl

(1) Jede Übertragung eines Einzweck-Gutscheins durch einen Steuerpflichtigen, der im eigenen Namen handelt, gilt als eine Lieferung der Gegenstände oder Erbringung der Dienstleistungen, auf die sich der Gutschein bezieht. Die tatsächliche Übergabe der Gegenstände oder die tatsächliche Erbringung der Dienstleistungen, für die ein Einzweck-Gutschein als Gegenleistung oder Teil einer solchen von dem Lieferer oder Dienstleistungserbringer angenommen wird, gilt nicht als unabhängiger Umsatz.

Erfolgt eine Übertragung eines Einzweck-Gutscheins durch einen Steuerpflichtigen, der im Namen eines anderen Steuerpflichtigen handelt, gilt diese Übertragung als eine Lieferung der Gegenstände oder Erbringung der Dienstleistungen, auf die sich der Gutschein bezieht, durch den anderen Steuerpflichtigen, in dessen Namen der Steuerpflichtige handelt.

Handelt es sich bei dem Lieferer von Gegenständen oder dem Erbringer von Dienstleistungen nicht um den Steuerpflichtigen, der, im eigenen Namen handelnd, den Einzweck-Gutschein ausgestellt hat, so wird dieser Lieferer von Gegenständen bzw. Erbringer von Dienstleistungen dennoch so behandelt, als habe er diesem Steuerpflichtigen die Gegenstände oder Dienstleistungen in Bezug auf diesen Gutschein geliefert oder erbracht.

(2) Die tatsächliche Übergabe der Gegenstände oder die tatsächliche Erbringung der Dienstleistungen, für die der Lieferer der Gegenstände oder Erbringer der Dienstleistungen einen Mehrzweck-Gutschein als Gegenleistung oder Teil einer solchen annimmt, unterliegt der Mehrwertsteuer gemäß Artikel 2, wohingegen jede vorangegangene Übertragung dieses Mehrzweck-Gutscheins nicht der Mehrwertsteuer unterliegt.

Wird ein Mehrzweck-Gutschein von einem anderen Steuerpflichtigen als dem Steuerpflichtigen, der den gemäß Unterabsatz 1 der Mehrwertsteuer unterliegenden Umsatz erbringt, übertragen, so unterliegen alle bestimmbaren Dienstleistungen wie etwa Vertriebs- oder Absatzförderungsleistungen der Mehrwertsteuer.

Anhang 4: Art. 135 MwStSystRL

(1) Die Mitgliedstaaten befreien folgende Umsätze von der Steuer:

a) Versicherungs- und Rückversicherungsumsätze einschließlich der dazugehöri-gen Dienstleistungen, die von Versicherungsmaklern und - Vertretern erbracht wer-den;

b) die Gewährung und Vermittlung von Krediten und die Verwaltung von Krediten durch die Kreditgeber;

c) die Vermittlung und Übernahme von Verbindlichkeiten, Bürgschaften und ande-ren Sicherheiten und Garantien sowie die Verwaltung von Kreditsicherheiten durch die Kreditgeber;

d) Umsätze – einschließlich der Vermittlung – im Einlagengeschäft und Kontokor-rentverkehr, im Zahlungs- und Überweisungsverkehr, im Geschäft mit Forderun-gen, Schecks und anderen Handelspapieren, mit Ausnahme der Einziehung von Forderungen;

e) Umsätze – einschließlich der Vermittlung –, die sich auf Devisen, Banknoten und Münzen beziehen, die gesetzliches Zahlungsmittel sind, mit Ausnahme von Sammlerstücken, d. h. Münzen aus Gold, Silber oder anderem Metall sowie Bank-noten, die normalerweise nicht als gesetzliches Zahlungsmittel verwendet werden oder die von numismatischem Interesse sind;

f) Umsätze – einschließlich der Vermittlung, jedoch nicht der Verwahrung und der Verwaltung –, die sich auf Aktien, Anteile an Gesellschaften und Vereinigungen, Schuldverschreibungen oder sonstige Wertpapiere beziehen, mit Ausnahme von Warenpapieren und der in Artikel 15 Absatz 2 genannten Rechte und Wertpapiere;

g) die Verwaltung von durch die Mitgliedstaaten als solche definierten Sonderver-mögen;

h) Lieferung von in ihrem jeweiligen Gebiet gültigen Postwertzeichen, von Steuer-zeichen und von sonstigen ähnlichen Wertzeichen zum aufgedruckten Wert;

i) Wetten, Lotterien und sonstige Glücksspiele mit Geldeinsatz unter den Bedin-gungen und Beschränkungen, die von jedem Mitgliedstaat festgelegt werden;

j) Lieferung von anderen Gebäuden oder Gebäudeteilen und dem dazugehörigen Grund und Boden als den in Artikel 12 Absatz 1 Buchstabe a genannten;

k) Lieferung unbebauter Grundstücke mit Ausnahme von Baugrundstücken im Sinne des Artikels 12 Absatz 1 Buchstabe b;

l) Vermietung und Verpachtung von Grundstücken.

(2) Die folgenden Umsätze sind von der Befreiung nach Absatz 1 Buchstabe l ausgeschlossen:

a) Gewährung von Unterkunft nach den gesetzlichen Bestimmungen der Mitgliedstaaten im Rahmen des Hotelgewerbes oder in Sektoren mit ähnlicher Zielsetzung, einschließlich der Vermietung in Ferienlagern oder auf Grundstücken, die als Campingplätze erschlossen sind;

b) Vermietung von Plätzen für das Abstellen von Fahrzeugen;

c) Vermietung von auf Dauer eingebauten Vorrichtungen und Maschinen;

d) Vermietung von Schließfächern.

Die Mitgliedstaaten können weitere Ausnahmen von der Befreiung nach Absatz 1 Buchstabe l vorsehen.

Literaturverzeichnis

Ariva.de (URL1)

Historische Kennzahlen BTC/USD, online abrufbar unter: https://www.ariva.de/btc-usd-bitcoin-us-dollar-kurs/chart, zuletzt abgerufen am 25.08.2018.

Ariva.de (URL2)

Historische Kennzahlen DAX Kurs, online abrufbar unter: https://www.ariva.de/dax_kurs-index, zuletzt abgerufen am 25.08.2018.

Bal, Aleksandra Marta. (URL)

International - VAT Treatment of Initial Coin Offerings, online abrufbar unter: https://www.ibfd.org/IBFD-Products/Journal-Articles/International-VAT-Monitor/collections/ivm/html/ivm_2018_03_int_2.html, zuletzt abgerufen am 25.08.2018.

Bamberger, Hein Georg/Roth, Herbert/Hau, Wolfgang/Poseck, Roman (Hrsg.)

Beck'scher Online-Kommentar – BGB, 46. Edition, München 2018 (zitiert: BeckOK – *Verfasser*)

Benoliel, Micha (URL)

Understanding the difference between coins, utility tokens and tokenized securities, online abrufbar unter: https://medium.com/startup-grind/understanding-the-difference-between-coins-utility-tokens-and-tokenized-securities-a6522655fb91, zuletzt abgerufen am 25.08.2018.

Boehm, Franziska/Pesch, Paulina

Bitcoins: Rechtliche Herausforderungen einer virtuellen Währung - Eine erste juristische Einordnung, MMR 2014, 75 – 79.

Bundesanstalt für Finanzdienstleistungsaufsicht (URL1)

Hinweisschreiben zum Zahlungsdiensteaufsichtsgesetz, 29.11.2017, online abrufbar unter: https://www.bafin.de/SharedDocs/ Veroeffentlichungen/DE/Merkblatt/mb_111222_zag.html, zuletzt abgerufen am 25.08.2018.

Bundesanstalt für Finanzdienstleistungsaufsicht (URL2)

BaFin Journal, 02.01.2014, online abrufbar unter: https://www.bafin.de/SharedDocs/Downloads/DE/BaFinJournal/2014/bj_1401.html, zuletzt besucht am 25.08.2018.

Bundesanstalt für Finanzdienstleistungsaufsicht (URL3)

Virtuelle Währungen/Virtual Currency (V/C), 28.04.2016, online abrufbar unter: https://www.bafin.de/DE/Aufsicht/ FinTech/VirtualCurrency/ virtual_currency_node.html, zuletzt abgerufen am 25.08.2018.

Bundesanstalt für Finanzdienstleistungsaufsicht (URL4)

Hinweisschreiben zur aufsichtsrechtliche Einordnung von sog. Initial Coin Offerings (ICOs) zugrunde liegenden Token bzw. Kryptowährungen als Finanzinstrumente im Bereich der Wertpapieraufsicht, 20.02.2018, online abrufbar unter: https://www.bafin.de/SharedDocs/Downloads/ DE/Merkblatt/ WA/dl_hinweisschreiben_einordnung_ICOs.html, zuletzt abgerufen am 25.08.2018.

Bundesministerium für Finanzen Österreich (URL)

Steuerliche Behandlung von Kryptowährungen (virtuelle Währungen), online abrufbar unter: https://www.bmf.gv.at/steuern/ kryptowaehrung_Besteuerung, zuletzt abgerufen am 25.08.2018

Burchert, Jan Ole/Böser, Fabian

Bitcoin & Co: Ertragsteuern und Kryptowährung, DB 2018, 857 – 859.

Burton, Charlie (URL)

The ICO bubble is about to burst... but that's a good thing, online abrufbar unter: https://www.wired.co.uk/article/ico-bubble-burst, zuletzt abgerufen am 25.08.2018.

Deutscher Bundestag (URL)

Sachstand v. 02.02.2018: Einzelfragen zur Regulierung und zur Nutzung von Kryptowährungen – WD 4 - 3000 - 021/18, online abrufbar unter https://www.bundes-tag.de/blob/547154/f316613869fff44f54cd6eaaa053f1b7/wd-4-021-18-pdf-data.pdf, zuletzt abgerufen am 25.08.2018.

Dietsch, David. R

Umsatzsteuerliche Behandlung von Bitcoin-Mining, MwStR 2018, 250.

Dietsch, David R.

Umsatzsteuerliche Einordnung von Initial Coin Offerings, MwStR 2018, 546 – 551.

Eckert, Kim-Patrick

Steuerliche Betrachtung elektronischer Zahlungsmittel am Beispiel sog. Bitcoin-Geschäfte, DB 2013, 2108 – 2111.

Engelhardt, Christian/Klein, Sascha

Bitcoins - Geschäfte mit Geld, das keines ist - Technische Grundlage und zivilrechtliche Betrachtung, MMR 2014, 355 – 360.

Feil, Kathrin/Kupke, Nina/Greisl, Eva

Aktuelle Entwicklungen bei der umsatzsteuerlichen Behandlung von Gutscheinen, BB 2012, 3113 – 3123.

Financial Times (URL)

Banks seek the key to blockchain, online abrufbar unter https://www.ft.com/content/eb1f8256-7b4b-11e5-a1fe-567b37f80b64?segid=0100320#axzz3qK4rCVQP, zuletzt abgerufen am 29.08.2018.

Finanzdepartement des Kantons Basel-Stadt (URL)

Merkblatt über die Besteuerung von Kryptowährungen und von passivem Einkommen aus Verdiensten im Internet, 16.4.2018, online abrufbar unter: http://www.steuerverwaltung.bs.ch/nm/2018-merkblatt-ueber-die-besteuerung-von-kryptowaehrungen-und-von-passivem-einkommen-aus-verdiensten-im-internet-fd.html, zuletzt abgerufen am 25.08.2018.

Frase, Henning

(Umsatz-)Steuerliche Aspekte bei Bitcoins, BB 2016 Heft 1, 26 – 28.

Grlica, Ivo (URL)

Is an ICO a taxable event for the EU VAT purposes?, online abrufbar unter: https://medium.com/@IvoGrlica/is-an-ico-a-taxable-event-for-the-eu-vat-purposes-9ed3cb31417b, zuletzt abgerufen am 25.08.2018.

Grottel, Bernd/Schmidt, Stefan/Schubert, Wolfgang J./
Winkeljohann, Norbert (Hrsg.)

Beck'scher Bilanz-Kommentar, 11. Auflage, München 2018 (zitiert: Beck'scher Bilanz-Kommentar – *Verfasser*)

Hakert, Anja/Kirschbaum, Benjamin

Ether Classic und Bitcoin Cash: Bilanzierung und Besteuerung von Kryptowährungen aus einer Hard Fork, DStR 2018, 881 – 886.

Heckmann, Jörn/Kaulartz, Markus

Smart Contracts - Anwendungen der Blockchain-Technologie, CR 2016, 618 – 624. .

Heuel, Ingo/Matthey, Isabell

Steuerliche Behandlung von Kryptowährungen im Privatvermögen, nwb 2018, 1037 – 1055.

Heuermann, Bernd/Brandis, Peter (Hrsg.)

Blümich EStG/KStG/GewStG Kommentar, 141. Ergänzungslieferung, München 2018 (zitiert: Blümich EStG – *Verfasser)*.

Hildner, Alicia

Bitcoins auf dem Vormarsch: Schaffung eines regulatorischen Level Playing Fields?, BKR 2016, 485 – 495.

Himmer, Klaus/Sandner, Philipp (URL)

Bitcoin: 726 Millionen Euro zusätzliche Steuereinnahmen für das Steuerjahr 2017 durch Kryptowährungen, online abrufbar unter: https://www.frankfurt-school.de/dam/jcr:31ac5d38-6aa6-433d-88bf-ab94c67b4605/20180123_Gastbeitrag_Bitcoin_Besteuerung.pdf, zuletzt abgerufen am 25.08.2018.

Himmer, Klaus

Besteuerung von digitalen Assets wie Kryptowährungen und Tokens, FSCB Working Paper September 2017, Frankfurt School Blockchain Center.

Huillet, Marie (URL)

17 Mio. von insgesamt 21 Mio. Bitcoins nun gemint, online abrufbar unter: https://de.cointelegraph.com/news/17-mln-of-total-21-mln-bitcoins-now-mined-in-milestone-for-digital-scarcity, zuletzt abgerufen am 25.08.2018.

Internal Revenue Service (URL1)

IR-2014-21, online abrufbar unter: https://www.irs.gov/pub/irs-drop/n-14-21.pdf, zuletzt abgerufen am 25.08.2018.

Internal Revenue Service (URL2)

IR-2018-71, online abrufbar unter: https://www.irs.gov/newsroom/irs-reminds-taxpayers-to-report-virtual-currency-transactions, zuletzt abgerufen am 25.08.2018.

iotasupport (URL)

An introduction to IOTA, online abrufbar unter: https://iotasupport.com/whatisiota.shtml, zuletzt abgerufen am 25.08.2018.

Kaulartz, Markus

Die Blockchain-Technologie, CR 2016, 474 – 480.

Kirchhof, Gregor/Ratschow, Eckart (Hrsg.)

Beck'scher Online Kommentar EStG, 1. Edition, München 2018 (zitiert: BeckOK EStG – *Verfasser*).

Kirchhof, Paul/Söhn, Hartmut/Mellinghof, Rudolf (Hrsg.)

Einkommensteuergesetz Kommentar, Loseblattsammlung, Stand Juli 2018, Heidelberg 2018 (zitiert: Kirchhof/Söhn/Mellinghof – *Verfasser*).

Kirsch, Hans-Jürgen/von Wieding, Fabian

Bilanzierung von Bitcoin nach HGB, BB 2017, 2731 – 2735.

Krauß, Wilfried/Blöchle, Daniel

Einkommensteuerliche Behandlung von direkten und indirekten Investments in Kryptowährungen, DStR 2018, 1210 – 1215.

Krüger, Fabian/Lampert, Michael

Augen auf bei der Token-Wahl – privatrechtliche und steuerliche Herausforderungen im Rahmen eines Initial Coin Offering, BB 2018, 1154 – 1160.

Kütük, Merih Erdem/Sorge, Christoph

Bitcoin im deutschen Vollstreckungsrecht - Von der „Tulpenmanie" zur „Bitcoinmanie", MMR 2014, 643 – 646.

Kuhlmann, Nico

Bitcoins, CR 2014, 691 – 696.

Lange, Guido (URL)

Margin Trading, online abrufbar unter https://kryptoszene.de/handel/ margin-trading/, zuletzt abgerufen am 25.08.2018

Lerch, Marcus

Bitcoin als Evolution des Geldes: Herausforderungen, Risiken und Regulierungsfragen, ZBB 2015, 190 – 204.

Liegmann, Bastian

Umsatzsteuerliche Behandlung virtueller Währungen, BB 2018, 1175 – 1179.

Martini, Mario/Weinzierl, Quirin

Die Blockchain-Technologie und das Recht auf Vergessenwerden - Zum Dilemma zwischen Nicht-Vergessen-Können und Vergessen-Müssen, NVwZ 2017, 1251 – 1259.

Novak, Nejc (URL)

A call for legal, ethical and sustainable token offerings, online abrufbar unter: https://medium.com/@nejcnovaklaw/a-call-for-legal-ethical-and-sustainable-token-offerings-4d7cd16c64ac, zuletzt abgerufen am 25.08.2018.

Omlor, Sebastian

Blockchain-basierte Zahlungsmittel - Ein Arbeitsprogramm für Gesetzgeber und Rechtswissenschaft, ZRP 2018, 85 – 89.

Raupach, Arndt (Hrsg.)

    Einkommensteuer- und Körperschaftsteuergesetz – Kommentar, 284. Ergänzungslieferung, Köln 2018 (zitiert: HHR – *Verfasser*).

Reiter, Christian/ Nolte, Dirk

    Bitcoin und Krypto-Assets – ein Überblick zur steuerlichen Behandlung beim Privatanleger und im Unternehmen, BB 2018, 1179 – 1185.

Richter, Lutz/Augel, Christian

    Geld 2.0 (auch) als Herausforderung für das Steuerrecht, FR 2017, 937 – 949.

Rosso, Sergio

    Money and Payments in Theory and Practice (Routledge International Studies in Money and Banking), 1. Auflage, New York 2007.

Safferling, Christoph/ Rückert, Christian

    Telekommunikationsüberwachung bei Bitcoins - Heimliche Datenauswertung bei virtuellen Währungen gemäß § 100a StPO, MMR 2015, 788 – 794.

Schimansky, Herbert/Bunte, Hermann-Josef/Lwowski, Hans-Jürgen

    Bankrechts-Handbuch, 5. Auflage, München 2017.

Schlinkert, Hans-Jürgen

    Industrie 4.0 - wie das Recht Schritt hält, ZRP 2017, 222 – 225.

Schlund, Albert/ Pongratz, Hans

    Distributed-Ledger-Technologie und Kryptowährungen – eine rechtliche Betrachtung, DStR 2018, 598 – 604.

Schrey, Joachim/Thalhofer, Thomas,

    Rechtliche Aspekte der Blockchain, NJW 2017, 1431 – 1436.

Schulze, Reiner (Hrsg.)

Bürgerliches Gesetzbuch – Handkommentar, 9. Auflage, Baden-Baden 2014 (zitiert: Schulze BGB – *Verfasser*).

Sorge, Christoph/Krohn-Grimmberghe, Artus

Bitcoin: Eine erste Einordnung, DuD 2012, 479 – 484.

Spindler, Gerald/Bille, Martin

Rechtsprobleme von Bitcoins als virtuelle Währung, WM 2014, 1357 – 1369.

Stürner, Rolf (Hrsg.)

Jauernig Bürgerliches Gesetzbuch - Kommentar, 17. Auflage, München 2018 (zitiert: Jauernig BGB – *Verfasser*)

Tappe, Henning

Steuerliche Betriebsstätte in der „Cloud" – Neuere technische Entwicklungen im Bereich des E-Commerce als Herausforderung für den ertragssteuerlichen Betriebsstättenbegriff, IStR 2011, 870 – 874.

Thurow, Christian

Umsatzsteuerliche Behandlung von Bitcoin und anderen sog. virtuellen Währungen, BC 4/2018, 154.

Velten, Dirk/Kunz, Sebastian/Ertel, Markus (URL)

Bitcoin & Co. Irrglaube an ein Steuerfreies Paradies, online abrufbar unter: https://www.ebnerstolz.de/de/7/2/7/1/3/Ebner_Stolz_Kryptowaehrungen.pdf, zuletzt abgerufen am 29.08.2018.

Weber-Grellet, Heinrich (Hrsg.)

Schmidt Einkommenssteuergesetz – Kommentar, 37. Auflage, München 2018 (zitiert: Schmidt EStG – *Verfasser*).

Weitnauer, Wolfgang

    Initial Coin Offerings: Rechtliche Rahmenbedingungen und regulatorische Grenzen, BKR 2018, 231 – 236.

Welzel, Christian/Eckert, Klaus-Peter/Kirstein, Fabian/Jacumeit, Volker

    Mythos Blockchain: Herausforderung für den öffentlichen Sektor, 1. Auflage, Berlin 2017.

Weymüller, Rainer

    Beck'scher Online-Kommentar Umsatzsteuergesetz, 17. Edition, München 2018 (zitiert: BeckOK UStG – *Verfasser).*

Wirth, Julia

    Compliance-Risiken bei virtuellen Währungen, CCZ 2018, 139 – 141.

Rechtsprechungsverzeichnis

EuGH, Urteil v. 14.07.1998 – C-172/96, DStRE 1998, 680 – 684.

EuGH, Urteil v. 23.10.2003 – C-109/02, DStRE 2003, 1411 – 1413.

EuGH, Urteil v. 29.04.2004 – C-77/01, DStRE 2004, 1095 – 1102.

EuGH, Urteil v. 26.05.2005 – C-465/03, DStR 2005, 965 – 968.

EuGH, Urteil v. 28.06.2007 – C-363/05, DStRE 2008, 898 – 902.

EuGH, Urteil v. 25.04.2013 – C-480/10, MwStR 2013, 276 – 280.

EuGH, Urteil v. 12.06.2014 – C-461/12, MwStR, 434 – 438.

EuGH, Urteil v. 16.07.2015 – C-108/14, C-109/14, MwStR 2015, 583 – 589.

EuGH, Urteil v. 22.10.2015 – C-264/14, BStBl. II 2018, 211 – 216.

BFH, Urteil v. 19.02.1997 – XI R 1/96, BB 1997 Heft 21, 1092 – 1095.

BFH, Urteil v. 20.12.2000 – X R 1/97, DStR 2001, 888 – 891.

BFH, Urteil v. 30.07.2003 – X R 7/99, DStR 2004, 598 – 603.

BFH, Urteil v. 26.03.2004 – IV A 6 – S 2240 – 46/04, DStR 2004, 632 – 638.

BFH, Urteil v. 15.04.2004 – IV R 54/02, BB 2004 Heft 36, 1937 – 1941.

BFH, Urteil v. 06.05.2010 – V R 29/09, DStR 2010, 1838 – 1841.

BFH, Urteil v. 16.01.2014 – V R 22/13, MwStR 2014, 333 – 335.

BFH, Urteil v. 12.05.2015 – VIII R 35/14, DStR 2015, 2007 – 2009.

BFH, Urteil v. 06.07.2016 – I R 25/14, DStR 2016, 2388 – 2394.

BFH, Urteil v. 19.01.2017 – IV R 50/14, DStR 2017, 851 – 861.

BFH, Urteil v. 28.09.2017 – IV R 50/15, DStR 2017, 2726 – 2730.

BFH, Urteil v. 06.02.2018 – IX R 33/17, DStR 2018, 562 – 564.

Verzeichnis amtlicher Schriften

BT Drucksache 19/648, 21.02.2018, Antwort der Bundesregierung auf die Kleine Anfrage der Abgeordneten Frank Schäffler, Bettina Stark-Watzinger, Dr. Florian Toncar, weiterer Abgeordneter und der Fraktion der FDP, S. 1 – 5.

BT Drucksache 17/14530, 09.08.2013, Schriftliche Fragen mit den in der Woche vom 5. August 2013 eingegangenen Antworten der Bundesregierung, S. 40 f.

BT Drucksache 17/14803, 27.09.2013, Schriftliche Fragen mit den in der Woche vom 23. September 2013 eingegangenen Antworten der Bundesregierung, S. 24 f.

BT Drucksache 19/370, 05.01.2018, Schriftliche Fragen mit den in der Woche vom 21. Januar 2018 eingegangenen Antworten der Bundesregierung, S. 20 ff.

BMF, Schreiben v. 27.02.2018 – III C 3 - S 7160-b/13/10001, BStBl 2018, 316.

BMF, Schreiben v. 18.01.2016 – IV C 1 – S 2252/08/10004 , BStBl. I 2016, 85.

BMF, Schreiben v. 22.12.2016 - IV B 5 - S 1341/12/10001-03, BStBl I 2017, 182.

BMF, Schreiben v. 26.3.2004 – IV A 6 - S 2240 - 46/04, BStBl. I 2004, 434.

BMF, Schreiben v. 16.12.2003 – IV A 6-S 2240-153/03, BStBl. I 2004, 40.

FBeh. Hamburg, Erlass v. 11.12.2017 – S 2256-2017/003-52 – Erlass betr. ertragsteuerliche Behandlung des Handels mit Bitcoins auf der privaten Vermögenssphäre, BeckVerw 351998.

FinMin Schleswig Holstein, Kurzinformation v. 16.03.2018 – VI 3012 - S 2332 - 184 – Ertragsteuerrechtliche Behandlung des Umtauschs von Wandelschuldverschreibungen in Aktien der ausgebenden Gesellschaft, DStR 2018, 921.

LfSt Bayern, Verfügung v. 12.03.2013 – S 2256.1.1-6/4 St32 – Verfügung betr. ertragsteuerliche Berücksichtigung von Veräußerungsgewinnen bei Fremdwährungsgeschäften nach Einführung der sog. Abgeltungsteuer, BeckVerw 332490.

www.ingramcontent.com/pod-product-compliance
Lightning Source LLC
Chambersburg PA
CBHW050927030726
47586CB00005B/1564